「腕が、腕が！」
「……大丈夫ですよ、すぐに治療をします。奥の初療室へどうぞ」
トウリ
「先生ェ。腸が……こぼれて」
「大丈夫さ。すぐ縫ってあげよう」
ケイル
快勝に沸く前線と対照的に、野戦病院はいつも通り修羅場です。堡塁越しの撃ち合いで負傷した者や、投げ込まれた手榴弾で被爆した者、暴発事故や転落などで負傷した者など、野戦病院は大賑わいです。

「……こっちですよ」
銃弾も魔力もない
自分に出来るのは、
ただ立ち尽くす事だけ。
精一杯の虚勢を張って、
自分は無邪気にサバト兵へ
笑いかけました。

TS衛生兵さんの戦場日記 II

まさきたま

[Illustrator] クレタ

TENTS

[Illustration] クレタ

CON

戦闘地域
国境
オースティン帝国

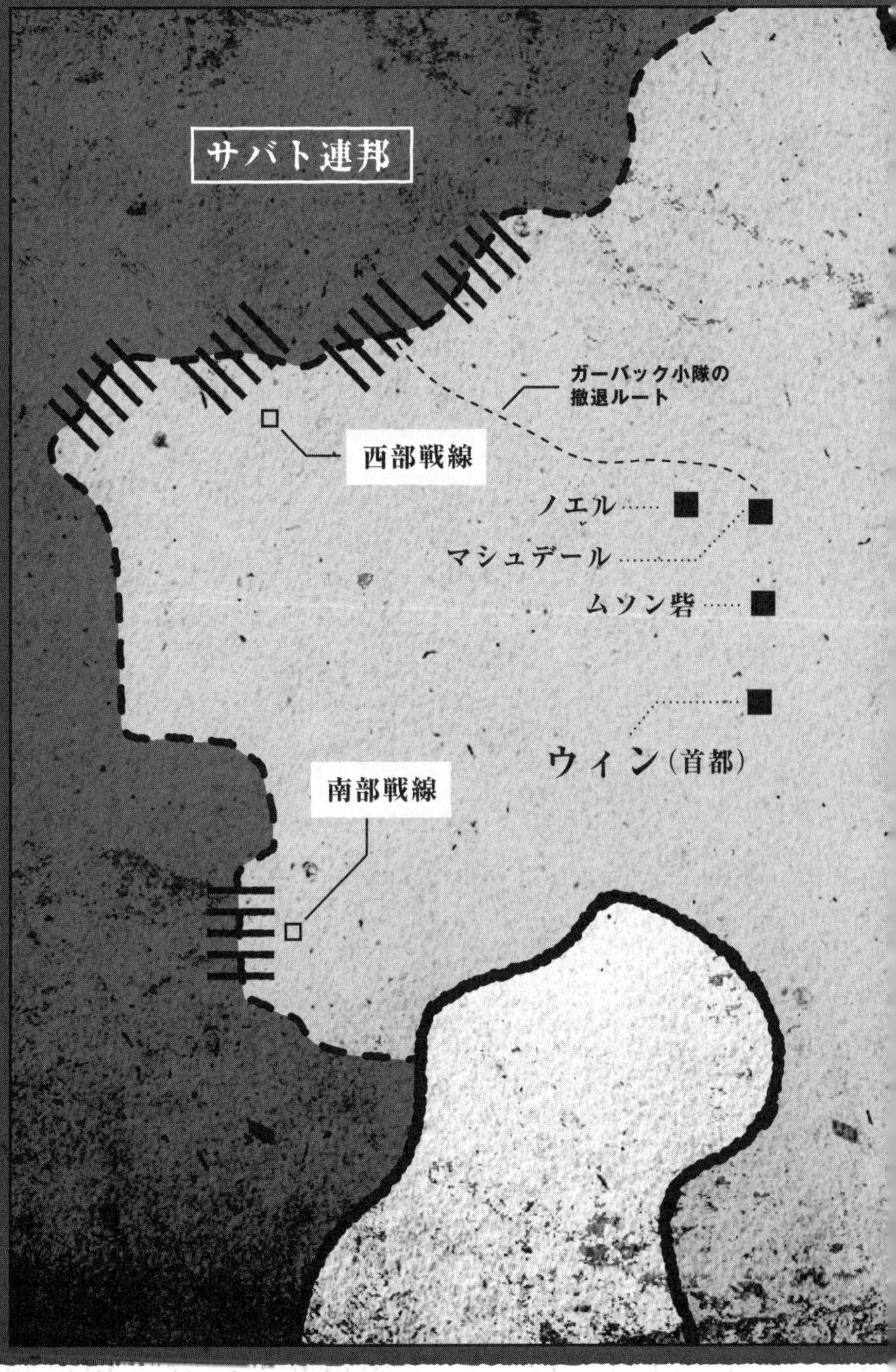
サバト連邦
ガーバック小隊の
撤退ルート
西部戦線
ノエル
マシュデール
ムソン砦
ウィン(首都)
南部戦線

一九三八年　夏　6

TSMedic's Battlefield Diary

――ノエル孤児院。

私が発掘した日記帳に記されていた、トウリ氏の生まれ故郷ノエルにある孤児院だ。

その孤児院はマシュデールの駅を降りてから、蒲公英《たんぽぽ》が咲き乱れる道を馬で二時間ほど先にあった。

マシュデールから訪れるだけでも一日がかりの、片田舎《かたいなか》の小さな孤児院だった。

「アイザック・フェン――ですか？」

「はい」

孤児院の本館は比較的新しく、しっかりとした建物だった。

少し白みかかったコンクリート塀《べい》で囲まれた、お洒落《しゃれ》で近代的な施設だった。

孤児院の中からはまだ年端《としは》もいかぬ子どもの声が木霊《こだま》し、楽し気な叫び声がそこかしこで上がっていた。

「ずいぶんと懐かしい名前を聞きました」

「おお、貴女《あなた》はアイザック氏をご存じなのですね？」

「ええ、もちろん」

私は要件を告げると、まもなく院長室へと案内された。

院長室で、修道服を着た妙齢《みょうれい》の女性が私を出迎えてくれた。

子供たちに引っ張られたのか、服がよれよれで泥にまみれているのが印象的だった。

「アイザック院長先生は、私にとって父のような人ですよ」

本当は、私の休暇はとっくに終わっているはずだった。

しかし長期休暇の最終日に、私はうっかり旅行先のホテルで気を失い入院してしまった。

医者が言うには、長時間発掘を行っていたせいで疲労がたまり、眩暈《めまい》を起こしたのだという。

その旨《むね》を正直に勤め先へ伝えると、少々のお小言と共に『よく養生して出勤するように』と三日ほど追加の休暇をいただけた。

……その休暇を使い、私は鉄道と馬でノエルへと向かったのだった。

「院長先生は、とても優しく勇敢な人でした」

「勇敢、ですか」

「ええ。彼は私が幼いころ、東西戦争の折。院の孤児たちが敵兵から逃げる時間を稼ぐべく、サバト軍兵士に立ち向かって殺されてしまいました」

「そうですか。……残念なことだ」

残念なことにアイザック院長は、戦火に巻き込まれて亡くなっていたようだった。

もし彼が存命であれば、トウリ氏の日記を読んでもらおうと思ったのだが。

「ノエル孤児院に関する事であれば、今の院長である私が承りますけど」

「ああ、いや。私の用事は、アイザック氏ご本人にあったもので」

「そうでしたか」

現在のノエル孤児院は、目の前の優しそうな修道女が院長をしているようだ。

年は三十歳前後だろうか、目尻に笑い皺《わらいじわ》のあるおっとりした雰囲気の女性だった。

「わざわざ訪ねてきてくださったのに、申し訳ありません」

「いえ。正直なところ、会えるとは思っていませんでした」

私はアイザック氏が存命である可能性が低いと知りつつノエル孤児院を訪ねた。

それでも、ここまで来たのはもし会う事ができたなら、是非《ぜひ》トウリ氏の話を聞きたいと思ったからだ。

私はやりきれない気持ちになりつつ、持ってきた日記帳を軽く握りしめた。

「セドルさん、貴方《あなた》はアイザック院長先生とどのような関係だったのですか」

「いえ、アイザック氏と直接の面識はありません。……ただ、戦場跡で拾ったこの日記を届けようと」

「……なるほど。これはまさしく、院長先生の字ですね」

私は投げやりな気持ちで、トウリ氏の日記の表紙裏を修道女に見せた。

そこに書かれた文字を見て、修道女は懐かしそうに目を細めた。

「この日記の持《も》ち主《ぬし》は、ノエル孤児院の出身で間違いないでしょう」

「……良ければ、中身をご覧になりますか」

「ありがとうございます。……よろしければ是非、見せてほしいです」

「ええ、構いません」

私は躊躇《ためら》わず、その日記帳を修道女に手渡した。

彼女は日記を受け取ると、懐かしそうに表紙裏に書かれたアイザック氏の文字を指で撫《な》でた。

「院長先生……」

修道女の瞳《ひとみ》には、微《かす》かに涙が浮かんでいるように見えた。

私にとってアイザック氏は見知らぬ他人であるが、彼女にとってはそうでないのだろう。

「ところでこの、トウリ・ノエルという名に聞き覚えはありませんか」

「トウリ・ノエルですか」

私はその日記帳を彼女に手渡した後、その名を訊いた。

私が気を失うに至った原因で、記憶の片隅で切なそうな笑みを浮かべているその少女の名前を。

「どちらかといえば本題は、彼女なのです」

「トウリ・ノエル……」

「実は私は今日、このトウリ・ノエル氏の話が聞きたくてノエル孤児院を訪れたのです。どんな些細《ささい》な話でもいい、何か知っていることはありませんか」

彼女の名前を出すと、修道女は難しい顔をして黙り込んでしまった。

もしかしたら、何かを知っているかもしれない。

「貴女もアイザック院長を知っているなら、トウリ氏とも面識があるんじゃないでしょうか」

「あっ――――」

私はここ数日間、もやもやとした感情で胸がいっぱいだった。

ふとした拍子に、穏やかで丁寧《ていねい》な彼女の声が耳元で聴こえているような錯覚《さっかく》を感じた。

忘れてはいけない人を思い出せないもどかしさで、動悸《どうき》が止まらなかった。

「私は、今すぐにでも彼女の事を思い出さなければいけないのです」

「ちょ、ちょっと待ってくださいセドルさん」

気づけば私は、修道女に詰め寄ってしまっていた。

私の剣幕《けんまく》に押されつつも、修道女はやがてポカンとおおきな口を開けて、

「まさか、これ。トウリ姉《ねえ》の日記なのですか……」

そう呟《つぶや》いて、呆然《ぼうぜん》と日記のページを開いたのだった。

【日付なし】

焼ける。焼ける。ノエルの村が燃え落ちていく。

声が聴こえてくる気がする。孤児院にいるはずの、弟妹のような友人たちの断末魔《だんまつま》の悲鳴が。

いや、確かに聴こえている。ノエルから、誰かの絶叫が。

走ればまだ、間に合うかもしれない。

自分が駆けつければ、一人くらいは抱えて逃げられるかもしれない。
アイザック院長先生は、助けを求めているかもしれない。
あの村には、自分の大切なものが全て遺《のこ》っている……。

――このページには日付が無く。
黒いインクが、涙の痕跡《こんせき》のように滲《にじ》んでいた。

マシュデール防衛戦 1

TSMedic's Battlefield Diary

【九月十日　夕方】

「……軍籍票だ」

「確認した。良く生き延びたな戦友、中央の広場に進むといい」

「了解した。お勤めご苦労」

自分が『城塞都市《じょうさいとし》マシュデール』に足を踏み入れたのは、この日が初めてでした。

マシュデールは、オースティンでも屈指の大都市でした。

住人も多く、ノエルとは比べ物にならないほど発展しています。

華やかで都会的なマシュデールは、ノエル孤児院の子供にとって憧れの街でした。

『大きくなったらあの街に住んでお金を稼ぐんだ』と、鼻息を荒くしたものです。

「そこ、割れた花瓶《かびん》の破片が落ちてる。踏むなよおチビ」

「……ええ。ありがとうございます」

そんな幼いころに憧れた大都市マシュデールは、今や廃墟《はいきょ》のように静まり返っていました。

メインストリートにはひび割れたパン屋の看板が倒れ、石造りの店壁には大きな血痕《けっこん》がこびりついていました。

「……」

マシュデールの城門を潜《くぐ》った時、小隊は泥と汗でボロボロになっていました。

乾いた泥砂を零《こぼ》しながら、自分たちは暗くなったマシュデールの大通りを歩きました。

広場への道中、街のどこを見渡しても民間人はいませんでした。

「もう、民間人は避難してんのかな」

「残しておく理由はないだろう」

大通りには軍服を着た兵士だけが、カツカツと軍靴《ぐんか》の音を響かせて歩いています。

兵士たちは重そうな袋を手に持って、忙しそうに城門の内外を行き来していました。

「彼らは、何を積み上げてるんですかね」

「ありゃ土嚢《どのう》だ。市街戦を想定しているんだな」

土嚢とは、要は簡易な袋に土を入れて固めたものです。

土嚢を壁のように積み上げる事で、街路に隠れる場所を作る事ができるのだそうです。

「あの広場が待機所みたいだ。お前ら、適当な場所に陣取れ」

「了解です、ガーバック小隊長殿」

しばらく進むと開けた広場に出て、多くの兵士たちのざわめきが聴こえてきました。

広場中央の噴水を起点に、数百人規模の兵士が小隊ごとに屯《たむろ》していました。

みな全身ボロボロで、虚《うつ》ろな目をして地面に座り込んでいました。

「すまんが、レンヴェル少佐殿にお取次ぎ願いたい。よろしいか」

「む、撤退兵でありますか。階級とご身分を」

「ガーバック軍曹《ぐんそう》だ。ガーバック小隊を率いている」

ガーバック小隊長は見回り兵に大声でレンヴェル少佐への取り次ぎを請《こ》いました。

声をかけられた兵士は小隊長の剣幕《けんまく》に押されたのか、少しビクっとしていました。

「では軍籍を確認いたします。少佐殿はご多忙なので、会えるかは……」

「俺の名を出せば、会うと仰《おっしゃ》るだろう」

「了解しました。では取り次ぎますので、待機所でお待ちください」

「頼んだ」

その言葉を聞いてガーバック小隊長は不機嫌そうに広場の噴水の前までズカズカと歩いて水を飲み始めました。

そんな傍若無人《ぼうじゃくぶじん》なガーバック小隊長を見て、多くの兵士が歓喜の声を上げました。

「おお、あのガーバック小隊が生き残っていたか。実に頼もしい」

「エースだ、エースの帰還だ」

我々の戦線の兵で、ガーバック小隊長の名を知らぬ者はいません。

小隊長はいろいろとおかしい事で有名ですが、多くの兵士にとって先行して敵をぶっ潰してくれる有難い存在でもあります。

なので『部下になったことがない』前線兵士から、ガーバック小隊長は人気があるそうです。

きっと皆一度は彼が戦う姿を見て『味方でよかった』と、安堵《あんど》したことがあるでしょう。

「どうぞ、一服してください」

「ああ、礼を言う」

そんなガーバック小隊長の傍《かたわ》らで待っていたら、気を遣った兵士がパンと温かなミルクを運んできてくださいました。

これは小隊長が特別待遇という訳ではなく、撤退兵には食事を出すように指示が出ていたからだそうです。

「め、飯っ!!」

「……エロドリー、ミルクと一緒にゆっくり食え。一気にかっ込んで喉に詰めるなよ」

「むぐっ……」

「言わんこっちゃない」

ロドリー君は貪《むさぼ》るようにパンに噛《か》みついて嘔吐《えず》きました。

無理もありません。数日ぶりのまともな食事なのです。

「……」

出されたパンは固くなっていましたし、ミルクも薄めてありました。

この時の自分は朦朧《もうろう》として、ただショックで何も感じずに口に運んだ気がします。

「……ぅ」

しかし身体《からだ》は正直でした。久し振りの栄養摂取に、凄《すさ》まじい幸福を感じてしまいます。

この日に食べたパンは人生で一番美味《おい》しかったかもしれません。

「美味、しい……」

ミルクを飲み干し、パンを腹に詰めた後、ようやく自分は落ち着きを取り戻したのでした。

【九月十日　夜】

「レンヴェル少佐に会って来る。貴様《きさま》らはここに待機、ヴェルディだけ付いてこい」

「了解です、小隊長」

ガーバック小隊が食事を終えたころ。

レンヴェル少佐の部下だという兵士さんが、ガーバック小隊長を呼びに広場にやってきました。

「トウリが脱走しないよう、目を離すなよアレン」

「……それも、了解です」

彼はギロリと自分をひと睨《にら》みして、少佐のもとへと向かいました。

先ほど取り乱した自分に、感情のままノエルへ向かわないように釘《くぎ》を刺したのでしょう。

心の奥底を見透かされたような気持ちでした。

「おら、こっちこいおチビ」

「ロドリー君？」

自分が気まずそうに立っていたら、ロドリー君がガッシリと自分の肩を抱きました。

……逃げ出さないように押さえているつもりでしょうか。

「疲れたろ。ちょっと腰を下ろそうぜ」

「そうですね」

彼は自分に、敷かれたシートへ腰を下ろすよう促しました。

自分は抵抗することなく、促されるまま彼と隣同士で座り込みました。

「……」

そのまま数分ほどでしょうか。

二人並んでシートに三角座りして、夜空を見上げていると。

「この街も戦場になるんだろうな」

「……でしょうね」

ロドリー君はぽつりと、言葉を選ぶように話しかけてきました。

「……街に戦火が及ぶのは、悲しい事です」

「そうだな」

先ほど、自分の故郷ノエルは燃やされてしまいました。

今も胸を掻《か》きむしりたくなるような、焦燥感《しょうそうかん》と悲哀が蠢《うごめ》いています。

マシュデールも、自分たちが抵抗しなければまもなく火の海に沈むのでしょう。

敗戦という重みが、ズッシリと伸《の》し掛《か》かってきた気持ちでした。

「ちょっと無神経なこというぞ、おチビ」

「……何でしょう」

「故郷を燃やされて、さすがに憎んだか。サバトの連中」

夜空を見上げたまま、ロドリー君は真面目《まじめ》な顔で自分にそう問いました。

ノエルを燃やされて、恨まなかったか。

それは勿論《もちろん》、

「さすがに、故郷の大事な人たちが殺されていたら。とても、恨めしいです」

「だろうなァ」

自分は正直に、そう返答しました。

「これがロドリー君のよく言う、敵と戦う――殺す理由ですか」

「ああ」

まだ、孤児院の方々の安否など分かりませんけど。

もし院長先生が逃げ遅れて、敵兵に殺されていた場合を考えますと。

胸が張り裂けそうなほど悲しいですし、きっとその敵兵を殺したいほど憎むに違いありません。

「……でもな、おチビ。やっぱそういうのは野蛮《やばん》な俺たちに任せとけ」

「え?」

ノエルの悲劇を想い涙を零しそうになっていたら、ロドリー君は珍しくも優しい言葉をかけ、自分の頭をさすってくれました。

「前はいろいろ言ったけどな。衛生兵みたいな連中は、臆病《おくびょう》にビクビク逃げ回ってくれた方が良いんだ」

「えっと、それは」

「後ろにお前ら医療班がいるから、俺たちは安心して命を張れる。おチビが無謀《むぼう》に敵に突っ込んで、命を散らされる方が迷惑だ」

「……」

「憎しみのあまり敵に突撃するのは、俺たち人殺しだけでいい」

自分は思わず、ジっとロドリー君の顔を見つめました。

それはいつもの彼らしからぬ、とても優しい言葉でした。

「頼むから無茶やって、敵に突撃したりすんなよチビ。今までどおり、臆病に縮こまっててくれや」

「……あの。ロドリー君」

「なんだァ?」

結局ロドリー君はグレー先輩の忠告の後も、口は悪かったのですが。

彼は粗暴《そぼう》な言葉に反し、いろいろな人に気を遣うような人でもありました。

つまりこれは、

「お気遣いありがとうございます。……大丈夫ですから、ご安心ください」

「そうかい」

ロドリー君は先ほど、ノエルが燃えて取り乱した自分を心配してくれていたのでしょう。

『怒りに任せて無謀な行動をとるな、冷静にいつもどおり行動しろ』という忠告ですね。

「あと、ロドリー君」

「どした？」

「本当、グレー先輩に似てきましたね」

「……」

自分はそんなロドリー君に、尊敬すべき先輩の影を感じました。

ロドリー君は、グレー先輩に「俺とよく似ている」と評されていましたっけ。

どうやら先輩の見立ては、間違っていなかったようです。

「……どういう意味だよ、ウゼェな」

「あれ、もしかして照れてますかロドリー君」

「やかましいドチビ」

確かに、先ほどの自分は少々平静さをかいていました。

過酷な行軍や故郷を燃やされたショックで、取り乱していました。

しかし、軍隊において平静を失うことは死を意味します。

彼からの忠告を、よく胸に刻んでおきましょう。

「そういうところ、素敵だと思いますよ」

「けっ」

【九月十日　深夜】

ロドリー君としばらく話し、少し平静を取り戻してきたころ。

自分は引き返してきたヴェルディ伍長《ごちょう》から、作戦本部に顔を出すように伝えられました。

臨時作戦本部は、マシュデールの役場に設置されていました。

「……君《きみ》が、例の衛生兵かね」

「はい、肯定します」

役場内の司令官室に案内されると、威圧感溢《あふ》れる老齢《ろうれい》の軍人が自分を見据《みす》えて座っていました。

彼は老いてなお筋骨隆々《きんこつりゅうりゅう》の肉体で、顔面に山ほど古傷がある偉丈夫《いじょうふ》でした。

「よくやったガーバック。彼女を……、衛生兵を無事にマシュデールまで撤退させた功績は大きいぞ」

「光栄です、少佐殿」

「ふむ、若いと聞いていたが……、想像以上だな。俺の孫と同じくらいに見える」

この威圧感たっぷりの偉丈夫の前で、あの傍若無人なガーバック小隊長が背筋を正し敬礼していました。

彼こそがこのマシュデールに布陣している全てのオースティン兵の総指揮官。

ヴェルディ伍長の叔父上《おじうえ》でもある、レンヴェル少佐殿なのです。

少佐殿は苛烈《かれつ》な性格だそうで、ヴェルディ伍長から「くれぐれも失礼が無いように」と忠告されていました。

正直なところ、緊張で口から心臓が飛び出しそうでした。

「君の名と階級は」

「はっ。自分はトウリ・ノエル一等衛生兵です」

「そうか。ご足労感謝する、一等衛生兵」

老人はジロリと自分を一瞥《いちべつ》しました。

ゴクリ、と喉が鳴ったのが分かります。

「俺こそは中央部前線指揮官、レンヴェル少佐である」

「お会いできて光栄であります」

レンヴェル少佐はそう短く自己紹介した後。

「時間がないのでいきなり本題に入るが構わんな、トウリ一等衛生兵」

「はい、少佐殿」

不機嫌そうに自分を睨むと、話の枕もなく命令に入りました。

レンヴェル少佐の顔には疲れが浮かんでいますが、部屋には休んだ形跡《けいせき》がありません。

戦況的に、まったく余裕がないのが窺《うかが》えます。

どんな無茶な命令をされるのか、恐ろしくて仕方がありません。

「では貴殿に命ずる。明朝までに、このマシュデールに医療本部の設立を命ずる」

「……」

レンヴェル少佐は、真顔のまま自分を見下ろし。

そんな、想定よりかなり上の無茶振りを仰ったのでした。

「返事はどうした」

「……命令を復唱します。自分は明朝までに、医療本部を設立します」

「よろしい」

この方は何を仰っているのでしょう。

医療本部を設立って、何をどうするのですか。

「機密事項なので自軍の総兵力は話せないが、おそらく数百人規模の死傷者が予想される。それに対応できる規模の医療本部が必要だ」

「はい、少佐殿」

「敵の侵攻予想時刻は、早ければ明け方だ。それまでに、重傷患者を受け入れる態勢を整えておけ」

数百人規模の負傷者を受け入れられる医療本部と来ましたか。

それは元々、自分が働いていた野戦病院と同等の規模ですよね。

衛生兵が自分一人しかいないのに？　医療物資や看護兵などの当てなんて全くないのに？

「では、速やかに行動せよ」

「は、はい……」

こんな十五歳の小娘捕まえて、どんな期待をしているのでしょうか。

いえ、命令ということは自分に拒否権ないんですよね。

今から急いで準備するとして、何から始めればいいのか……。

「レンヴェル少佐殿、質問の許可を求めます」

「構わんよ」

「その医療拠点の場所と人員に関しては、ご用意いただけるのでしょうか」

「それも貴殿に一任する、そのための権限も用意しよう」

「……はい、少佐殿」

「期待しているぞ」

少佐殿が仰るには、医療本部の設立に関して必要な権限を渡す代わり、自分に一任いただけるようです。

言い換えれば、今から全部自分がやれってことですね。

明日の朝までに、看護経験のある人とか探し出し集めて、医療物資も集めて、拠点を設立せよと。

正気ですか？

「……あの、少佐殿。あんまり俺の部下を虐《いじ》めんでくださいや」

「く、くっ」

自分が顔を真《ま》っ青《さお》にしながら静かにパニくっていると、ガーバック小隊長が呆《あき》れた顔で口をはさみました。

それと同時に。困り果てた自分の顔がよほど面白かったのか、レンヴェル少佐が真面目な顔を崩して噴き出してしまいました。

……。

「くははははっ、すまん、すまんね。できない命令は断って構わんのだよ、トウリ一等衛生兵。無理な命令に従って失敗したら、軍全体に迷惑がかかるからな」

「は、はぁ」

「悪い悪い、君が真面目な顔なもんでからかってみたくなってな。ホラ、俺みたいなこんな歳なのに少佐にしかなれてないヘッポコ指揮官相手に、そうガチガチに緊張することなどあるまいよ」

どうやら先ほどの無茶振りは、彼のジョークのようでした。

見た感じ、このレンヴェル少佐という方はお茶目な面があるみたいですね。

自分はまんまとからかわれた、といったところでしょうか。

「だが、いかに劣勢であろうと心に余裕を持つことは大事だぞ、少女よ。確かに西部戦線は崩壊し、多くの民が奴《やつ》らの被害に遭った。だが、こんな時こそ明るい顔をせねば……」

こういう場合は、少佐殿に合わせて笑えばよかったのでしょうか。

しかし故郷《ノエル》を焼かれたばかりの自分にはまだ、笑えるほどの余裕はありませんでした。

それでどう対応したものか困り、その場で固まっていると。

「お、叔父上。その、トウリ・ノエル一等衛生兵はその名のとおり、今日焼かれたノエル村の出身で────」

「……えっ」

ほんのり涙を浮かべ始めた自分を見て、ヴェルディ伍長が慌ててレンヴェル少佐に耳打ちしてくれました。

きっと自分に、心の余裕がないのを察してくれたのでしょう。

「……」

「……」

確かにロドリー君の言葉で少し気が楽になりましたが、まだノエルを焼かれた事は消化できていません。

優しかったアイザック先生のことを思うと、今にも泣き出してしまいそうです。

「……そ、それはすまん。トウリ一等衛生兵……」

「いえ」

瞳《ひとみ》に涙を溜《た》める自分を見て、レンヴェル少佐が顔を真っ青にして謝ってきました。

彼なりに気分を盛り上げてくれようとしたのかもしれませんが、タイミングが悪かったです。

「真面目な話をすると、医療本部の設置はもう終わってるのだ」

「はい」

「ただ、この町の癒者《ヒーラー》を頭を下げて集めただけで、軍部の人間がおらん。君に、軍人として医療本部のまとめ役を頼みたい」

「なるほど、了解いたしました」

その後、ばつが悪そうな顔でレンヴェル少佐は自分に本当の命令内容を教えてくれました。

少佐殿はこのマシュデールの癒者《ヒーラー》を集め、臨時医療拠点を立ち上げることには成功したのですが……。

彼らは民間人なので指揮系統が存在せず、軍と連携を取りづらい状況でした。

だからレンヴェル少佐は、この臨時医療拠点を束《たば》ねる兵士を派遣したかったそうです。

しかし自分が到着するまで、マシュデールに衛生兵や看護兵の撤退者はいませんでした。

それで困っていたところにガーバック小隊長から『衛生兵を撤退させることに成功した』と報告を聞き、自分が呼び出されたようです。

「トウリ一等衛生兵に、臨時医療本部の監督役を命じる。彼らを良くまとめ上げてほしい」

「御命、承りました」

「ただ彼らはあくまで民間協力者なので、君には命令権とか指揮権はないので注意してな」

「はい、少佐殿」

招集された癒者《ヒーラー》たちは、駆け出し衛生兵の自分なんかより経験豊富な人ばかり。自分が軍属しているから、まとめ役になるだけです。謙虚《けんきょ》で丁寧《ていねい》な対応を行うべきでしょう。

そしていざという時は、自分が矢面《やおもて》に立って彼らを守らなければなりません。

「あと、医療本部の設置場所はこの役場内の会議室だ」

「おお、ではすぐそこなのですね」

「この役場を重点的に守るよう兵を配置するつもりだ。だから医療本部も、作戦本部と同じ建物にしている」

レンヴェル少佐殿はそう言うと、後ろに控《ひか》えていた一人の女性将校を手招きしました。

スラリと細い腰つきの、真面目そうな女性でした。

「君の相談役には、アリア少尉《しょうい》を遣《つか》わせる。何か分からないことがあれば彼女に聞きなさい」

「分かりました」

そのレンヴェル少佐の言葉で、その女性将校が自分の前に歩いてきました。

アリア少尉と呼ばれたその将校は、長い金髪でキツい目付きの女性でした。

「レンヴェル少佐直轄《ちょっかつ》、魔導《まどう》中隊長アリアだ。よろしく」

「はい、よろしくお願いいたします。少尉殿」

少尉ということは、ガーバック小隊長より階級が上です。それなりに若そうに見えますが、きっと経験豊富な方なのでしょう。

そして女性を充《あ》ててくれたのは、自分に対する配慮《はいりょ》でしょうか。

「……」

女性兵士の割合は、かなり少ないです。基本的に歩兵は、体力のある男性のみで構成されるからです。

例外として非戦闘員である工作兵や衛生兵、遠距離攻撃を専門とする魔導師など一部兵科でのみ女性兵士が編入されます。

「少尉は士官学校で次席の卒業だ、きっと何でも力になってくれるだろう。非常に優秀なので、存分に頼るといい」

「過分な紹介です」

確かに魔導師と衛生兵は、比較的女性将校の多い兵科です。

しかし女だてらに中隊長になるのは、並大抵の事ではありません。やはり軍は男社会で、男性兵士が優遇される傾向にあります。

コネでも無い限り、女性が中隊長に任じられるなどあり得ないと思っていました。

彼女がすさまじく優秀であるという証拠でしょう。

「因《ちな》みに、アリアは俺の娘だったりする」

「……何と」

「君の部隊のヴェルディ伍長とは、従兄弟《いとこ》の関係だ。彼と話すように、気軽に接してくれ」

コネでした。

「ではトウリ、貴女《あなた》を医療本部に案内しよう」

「了解です」

言われてみれば目つきとか、レンヴェル少佐に似ているなとアリア少尉を眺《なが》めていたら。

彼女は自分についてくるよう目配せして、指令室の隣の広い講堂へと歩いて行きました。

「レンヴェル少佐も言っていたが、彼らはあくまで民間協力者だ。おそらく、命令だといっても簡単に従ってくれまいし、従う義務もない」

「はい」

「そして彼らは、わざわざこんな危険な場所に残ることを承諾してくれた奇特な人たちでもある。一筋縄ではいかない、一癖も二癖もある奴ばかりだ。呑《の》まれるなよ」

アリア少尉は講堂の扉を開く前に、小声でそう忠告してくれました。

どうやら、それなりに個性の強い人たちが揃《そろ》っているようです。

自分に、まとめられるとよいのですが。


「失礼する」

「……今度は何だい、軍人さん？」

少尉が、すぅと一呼吸おいて講堂のドアを開くと。

入り口付近にいた髭面《ひげづら》の男性が、無表情に応対してくれました。

「……子供？」

「悪いが各員作業を一旦止めて、こちらを注視してくれ」

聞いたとおり医療本部はほぼ完成しているようで、講堂には病院のような設備が揃っておりました。

床には何枚も布が敷かれ、白紙のカルテが並べられて簡易の病床になっています。

椅子は物品置きになっており、幾《いく》つもの紐《ひも》が結ばれて、熱湯消毒された清潔な布が干されていました。

規模は小さいですが、医療本部は確かに野戦病院の体《てい》を成していました。

「今までは臨時で私が医療本部の責任者を務めていたが、正式な人員が到着したので紹介する」

「新しい責任者？」

その場にいた医療従事者たちは、やはり全員年上のようでした。

医療本部では二十代から六十代くらいの方々が、忙《せわ》しなく治療の準備をしていました。

「おうい、軍人さんがこっちに来てくれってさ！」

「何だ？」

「新しいまとめ役が来たらしい」

彼らは作業を止めると怪訝《けげん》な顔で、アリア少尉の後ろに控える自分を見つめました。

居心地《いごこち》の悪い緊張感を感じ、額《ひたい》に汗をかきました。

「おい、俺たちのまとめ役ってまさか。アンタの後ろのお嬢ちゃんか」

「ああ。トウリ一等衛生兵、挨拶を」

「はい」

彼らの反応は、あまり好意的には見えませんでした。

何せ彼らは、去年衛生兵になったばかりの自分よりずっと経験豊富な医療従事者たちです。

新米も同然の、自分みたいな小娘に監督されるのは不満でしょう。

ここは下手に出て、彼らを立てながら働いてもらう形を目指しましょう。

「ご紹介に与《あずか》りましたトウリ・ノエル一等衛生兵です。臨時ではありますが、この苦しい中で協力いただきました皆様の力となれるよう尽力していく所存です」

第一印象が肝心です。

自分は真っすぐ彼らの目を見つめ、そして丁寧《ていねい》に一礼しました。

この非常事態に、人間関係で業務が滞《とどこお》るような事態だけは避けねばなりません。

「歳は幾つだ、嬢ちゃん」

「……今年で十五歳になります」

「何だと？」

そんな自分に話しかけてきたのは、最初に応対してくれた体格の良い中年の男性でした。髭を生やした、クマのような恰幅《かっぷく》の良い男性です。

「十五歳の娘に責任者やらせるってか、どういうつもりだ軍人さん」

「他に人員がいない。彼女が、このマシュデールに唯一辿《たど》り着《つ》けた衛生兵だ」

「おいおい、冗談じゃねぇぞ！」

やはりというか。長年プライドを持って診療してきた方々は、自分のような子供に仕切られるのに抵抗があるようです。

中年男性は不満げな顔で、アリア少尉に突っかかっていきました。

「こんな子に、病院が仕切れるかよ」

「もう決定された命令です」

「撤回しろって言ってんだ」

「他に適任者はおりません」

さて、どうしたものでしょう。この様子だと、自分の指示に従ってくれる方は少なそうです。

彼らの不満を宥《なだ》め、納得して貰《もら》うのも自分の仕事に入るんでしょうか。

「落ち着いてください、自分は皆様を仕切ろうなどと考えておりません。ただ自分の事は、軍部からの連絡係のように思ってください」

「んな事いってもよぉ」

クマさんみたいな男は、困り顔のまま自分を見つめています。

年下である自分が配慮することで、何とか不満を抑えて貰えないでしょうか。

「こんなちっちゃな子に責任押しつけちゃ可哀想《かわいそう》だぞ、軍人さん」

「この娘《こ》は、先に逃がしておやりよ。こんな危険な場所に子供を留めちゃいけん」

「……ほら娘っ子、飴《あめ》ちゃん要るか……？」

そんな事を考えていたら、近くにいたお爺《じい》さんから飴を貰いました。

素直に飴を受け取ると、お爺さんは物凄《ものすご》く嬉《うれ》しそうにニコニコしていました。

「この場所まで、敵に侵攻されたらどうするつもりだ」

「彼女は軍人だ。もちろん、死ぬ覚悟はできている」

「そんな可哀想な！　まだ十五歳なんだぞ」

「アリア少尉の仰ったとおり、ご配慮は無用です。自分は志願して軍に籍を置いております、死も覚悟の上です」

「……偉いなぁ、飴ちゃんあげよう……」

飴が二つに増えました。

「ノエル姓ってことは、あの村の出身？」

「……はい」

「ああ、可哀想に。どうしてこんな子供まで戦争に巻き込まなきゃいけないの！」

どう反応していいか困っていると、自分はまるまる太ったご婦人に抱きあげられました。

そのまま彼女の為《な》すがまま、自分はスリスリとご婦人に頬擦《ほおず》りされ、豊満な身体《からだ》に押し包まれました。

「君のご両親はどうした。娘がこんな最前線に放り込まれて何も言わないのか？」

「いえ、その、自分は孤児院の出身で」

「そういうことか……、身寄りがないから軍人に」

これはつまり、アレですね。

自分は軍人とは見られていなくて、完全に子供扱いされていますね。

「俺たちだけで十分、仕事をして見せるさ。……だからこの子は逃がしてやっておくれよ」

「トウリ一等衛生兵は優秀な回復魔法の使い手と聞いている。彼女の協力で、きっと多くの命が救われるだろう。それは、医療者の本懐《ほんかい》ではないのか？」

「う……、だが」

「少佐から、命令はもう下りている。そもそも、トウリに拒否権はない」

臨時医療本部の人の雰囲気は、野戦病院の方々を思い出しました。

根が善人というか、ものすごく優しいオーラが出ているのです。

グレー先輩の言っていた『回復魔法の素養は、他人を思いやる人に発現しやすい』というのは本当かもしれません。

その理屈でいくと、ロドリー君とかも発現しそうな気がするんですけども。

「畜生、わかったよ……。だけど、危なくなったら彼女を一番に避難させてあげろよ軍人さん！」

「大丈夫よトウリちゃん、いざとなったら私たちが守ってあげるからね」

「いえ、あの、自分は軍人なので、むしろ矢面に立つのは自分であるべき……」

「駄目よ、まだこんな若いのに。危ない事は大人の仕事なの！」

そんな有無を言わさぬ彼らの勢いに押されて、自分は医療本部の愛玩《あいがん》動物に就任しました。

一応準備のお手伝いはさせてもらったのですが、完全に子ども扱いなんですよね。事あるごとに褒められるし、飴を手渡されるし、甘やかされました。

……一応、半年ほどですが衛生兵として最前線で働いてきたのですけれど、新米癒者《ヒーラー》とすら見なされてなさそうです。

まぁ、彼らの長い医療経験から見れば、自分なんか小童《こわっぱ》も良いところなんでしょうね。

「で、実際トウリちゃんは回復魔法は使えるのかい？」

「はい、クマさん。連続使用は五回まで可能です」

「おお、その歳で凄いなぁ」

因みにクマのような男性は本当にクマさんと呼ばれていました。

タクマが本名らしいのですが、その見た目からクマさんと愛称されているようです。

そして彼こそ、

「じゃあ、時々手伝ってもらうからね。あんまり無理しないように」

「はい、了解しました」

「分からないことがあれば気軽に相談してね。患者さんのためだからね」

事実上のこの医療本部のリーダーにして、三十年以上に渡ってこのマシュデールの医療を引っ張ってきた生き字引。

大都会に一人はいる、国から指定された『医学博士《はかせ》』の資格を持つ超大物癒者《ヒーラー》だったのでした。

衛生兵の平均的な回復魔法の回数は四~五回です。

最近自分も、この連続使用回数を達成できました。これは、一等衛生兵に任命される条件でもあります。

多くの衛生兵は、半年から一年かけて一等衛生兵に到達します。

そして一等衛生兵になれれば、やっと一人前と見なされます。研修期間が終わった、みたいな扱いですね。

そして連続使用四回というのが、殆《ほとん》どの衛生兵が到達できる最低ラインでもあります。

魔力の量は個人差が大きいですが、四回くらいまでならだいたいの人が使えるようになるようです。

そして、これ以上の回数になると才能がモノをいいます。

どれだけ頑張っても四回までしか使えない人もいれば、どんどん使用回数が成長し続ける人もいます。

ゲール衛生部長など、上位の癒者《ヒーラー》は十回以上使えるそうです。

そして、このクマさんも連続使用十回超え。おそらくゲール衛生部長クラスか、それ以上の術師でしょう。

専門は外科ではなく感染症で、抗生剤の開発に関わって医学博士号を得たという凄い経歴の持《も》ち主《ぬし》です。

その腕を評し、マシュデールの医療関係者は「クマさんに治せない患者を救える癒者《ヒーラー》はいない」と口を揃えたそうです。

そんな大物癒者《ヒーラー》であるクマさんは「故郷のためなら」と、危険な最前線に残って医療本部を設立する件を快諾《かいだく》してくれました。

レンヴェル少佐もまさか二つ返事で引き受けてくれるとは思わなかったそうで、嬉しい誤算といえましょう。

それだけではなく医療本部の設立を宣言した際、クマさんが残るなら自分も残ると彼の信奉者《しんぽうしゃ》が医療本部に駆けつけてきました。

このことからも、彼の人望の厚さが窺《うかが》えます。

つまりクマさんのお陰で、自分がマシュデールに到達した時にはもう殆《ほとん》ど医療本部は完成していたのです。

彼の呼びかけで、八人の回復魔法使いを含めた数十人のスタッフが最前線に残ったあたり、マシュデール医療のトップの名は伊達《だて》ではないのでしょう。

自分を可愛《かわい》がってくれる丸々太ったご婦人はクマさんの奥さんですし、本部に残ってせっせと働いている人々は彼の弟子や支援者たちです。

この医療本部は、まさに彼を中心に成立しているのです。

「さあて、今夜はしっかり休養してね。栄養もしっかりとって」

「……はい」

「さぁ頑張るよ。外の軍人さんに、怪我《けが》しても俺たちがいるぞって心の支えにしてもらうんだ」

マシュデールにクマさんがいたことは、自分にとってもオースティンにとっても望外の幸運だったと思います。

かくして、決戦前夜。自分は優しい人たちに囲まれて、しばしの平和な時間を過ごすことができたのでした。


【九月十一日　早朝】

昨晩は、久しぶりの休養でした。数日ぶりに穏やかな時を過ごす事ができました。

横になって眠れるというのは、素晴らしい事です。それも、布の上で眠れるなんて望外の幸福としか言いようがありません。

敵の侵攻速度から、攻勢の予想時刻は今日の昼以降とされました。

彼らは今も近隣村落を蹂躙《じゅうりん》し、占領《せんりょう》していっているそうです。

嵐の前の静けさというべきか、マシュデールは呆れるほどに静かでした。

「あの、クマさん。一つ、お伺《うかが》いしてよろしいでしょうか」

「なんだい、トウリちゃん」

開戦後は忙しくなりそうなので、自分は監督者としてクマさんにいろいろと相談をしました。

いざ本番になって分からずてんやわんやするのは、よろしくないと思ったからです。

「戦死されたご遺体は、どこに運べばよいでしょうか」

「……ああ、それならこの役場の二階に運ぶつもりさ。名前を書いた紙で顔を隠しつつ、デスクの上に並べようかと思ってるよ」

クマさんは亡くなった兵士を机の上に寝かし、かつ素性が分かりやすいように配慮するつもりのようでした。

きっと、兵士も死んだ後にそういう扱いをされた方が嬉しいでしょう。

ですが、

「それは、少し難しいかもしれません」

「どうしてだい？」

「戦況が白熱すれば、おそらく戦死した兵士を二階まで運ぶ時間は無いでしょう」

「……では、どうするんだ？」

「野戦病院では、病棟近くに穴を掘っていました。そこにご遺体を投げ込んで、空いたベッドに新たな負傷者を運び込むのです」

戦闘直後の野戦病院は、まさに修羅場《しゅらば》でした。

モグラ叩《たた》きのような反射神経で、急変していく患者に適切な対応をせねばなりません。

「それは。いや、前線ではそうせざるを得なかったかもしれないが」

「戦闘が激しくなれば、負傷者の処置が追いつかなくなります。一人でも多くの命を助けるために、戦死者に割《さ》く時間が惜しくなるのです」

これは決して、野戦病院に従事していた衛生兵が冷酷《れいこく》であったからではありません。むしろ、人一倍優しい人たちばかりでした。

しかし、だからこそ生きている人を最優先に考えた結果なのです。

「時間がある時は、クマさんの仰る方法で良いでしょう。しかし、火急の時に重いご遺体を二階まで運ぶのは現実的ではありません」

「……」

「一階に倉庫がありました。使用許可を取っておきますので、そこにご遺体を積み上げるようにするのはどうでしょうか」

いまさら穴を掘る時間なんてありませんし、倉庫に転がしておくのが無難でしょう。

野戦病院の病床主任さんがいたなら、遺体を窓から放り出しそうですが。

あの人、生きている限りは人間として扱いますが、死んだら容赦《ようしゃ》なくモノ扱いしますからね。

「それほど大量に、死者が出ると思うかね」

「出るでしょう」

「そうか」

今のサバト兵の勢いは、目を見張るものがあります。

いくら城塞都市《じょうさいとし》とはいえ、無傷で守り切れるとは到底思えません。

「これでも、難攻不落《なんこうふらく》のマシュデール城塞だなんて言われてたんだけどなぁ」

「時代は変わりましたから」

そもそも、城塞というのは弓矢や騎兵の時代に有効とされた防衛設備です。

馬で城壁は飛び越えられないし、弓矢も石造りの壁に効かないし、城壁も対魔法加工されているので相当時間をかけないと壊せません。

なので、かつてこのマシュデールは難攻不落の要塞と呼称されていたのです。

「むしろ、この少ない兵力でいつまで持ちこたえられるのでしょうか……」

しかし時代は変わり、火薬や重火器による遠距離攻撃が主流になってきました。

城塞を崩せる火薬や手榴弾《しゅりゅうだん》の登場で、魔術師でなくとも城壁の破壊が可能となり、その価値は大きく下がってしまいました。

また現在では、鉄条網《てつじょうもう》や踏むと爆発する設置魔法陣などの開発により、穴を掘っただけの塹壕《ざんごう》でも十分な防衛能力を発揮できてしまいます。

城塞は大きな壁ではあるので一定の防衛能力は有するのですが、かつてのような有用性は失われつつあるのです。

「君の意見は分かった、とりあえず許可は取っておいてくれ。確かに、生きている人が最優先だからね」

「了解しました」

もしかしたらクマさんは、想像できていないのかもしれません。

このマシュデール市街内に、サバト兵が乗り込んでくるその光景を。

そして、あの野戦病院では日常だった『無造作に積み上げられていく遺体の山』を。

【九月十一日　朝】

「皆さん、荷物は持ちましたか」

「はーい」

そして、いよいよ敵が攻めてくる直前。

自分は数名の医療スタッフと共に、マシュデール城壁の外へと足を運びました。

「本当に、ここまで敵が来るのかねぇ」

「きっと、来るでしょう」

マシュデール街門の外は、まばらに雑草の生えた平原でした。

過去の戦争の痕跡《こんせき》で穴が開いて地面は凹凸《おうとつ》が激しく、これが容易《ようい》な進軍を妨《さまた》げるのだそうです。

「この付近を借りてよろしいでしょうか」

「ええ」

自分たちはその小山のような凸凹《でこぼこ》の地面の陰の敵から見えにくい位置に大きな風呂敷を広げ、テントを設営しました。

兵士たちに分かりやすいよう医療本部の旗を入り口に掲《かか》げ、立て札を地面に突き刺しました。

「完成だな、前線医療本部」

これは自分がクマさんに提案して実現した、前線医療本部です。

自分はマシュデール市街内ではなく、城門の外に小規模な診療所を作って応急治療を行おうと考えました。

その理由は情けない話ですが、クマさんの医療技術に自分がついていけないからです。

何十年の経験を持つベテラン癒者《ヒーラー》の手術を手伝うには、それなりの技術を要求されます。

まだ従軍して一年足らずの、未熟な自分では実力不足もいいところでした。

「では、ここに物資を置きましょう」

「了解、リトルボス」

「……普通にトウリと呼んでください」

そしてこの前線医療本部の役割は、軽い怪我を治療するだけではありません。

対応困難な重傷者を判別し、後方に送るかどうかのトリアージを行う役割も担います。

銃創や火傷など戦場ならではの外傷は見慣れていますので、自分でも正確なトリアージができる自信がありました。

「まぁまぁ、これも親愛の証さ。僕を何にでもこき使ってくれリトルボス」

「こらケイル先生、敬語使わなきゃ。トウリさんは一応、上司ですよ」

「確かに。いや、こんな可愛い上司なら大歓迎なんだけどなぁ。なんで俺の指導医《オーベン》はあんなにキツい人ばっかかなんだろう」

因みにこの前線医療本部は、自分が指揮を預かることになりました。

形の上では、自分が最高責任者ですからね。

「人の命がかかっている仕事ですので、指導は厳しくなるのでしょう」

「いーや、単なるストレス解消だよ」

そんな自分についてきてくれた若手の癒者《ヒーラー》は、ケイルさんといいました。

彼の表情にはまだ余裕があり、看護師に冗談交じりの愚痴《ぐち》を言っていました。

「もっと若手を大事にしてほしいねぇ」

まだ戦闘が始まっていないので、軽口をたたく余裕があるのでしょう。

この軽口が、果たして三日後も続いているかどうかですね。

「はー、どうせなら銃を撃ってみたかったなぁ。敵がここまで攻めてきたら、僕が勇敢に吹っ飛ばしてやるのに」

「素人《しろうと》に、銃の扱いは難しいと思いますよ」

「僕ならできるって。ていうか、いっぱい余ってるんだろう？　銃の在庫。一丁くらいくれてもいいじゃないか」

「銃が余っているのではなく、兵士が足りていないという表現が正しいですね。というか、衛生兵は銃の所持を禁じられています」

ケイルという若い癒者《ヒーラー》は、遊びに来たような軽いノリで話をつづけました。

この雰囲気には、見覚えがあります。

従軍を勧められ、二つ返事で了承してしまった時の自分にそっくりです。

「せっかく危ないところに配置されたのに」

「せっかくって、何ですか……」

彼はなぜか意気揚々《いきようよう》と前線配置を希望しましたが、医療従事者の大半は危険な場所に配備されるのを嫌がりました。

クマさんに至っては、自分を含めた若手が最前線に出ることに対し『子供を前線に行かせるなんて！』と反対し、ひと悶着《もんちゃく》ありました。

アリアさんを交えて根気強く説得し、最後は納得してくれましたけど。

「男は少しくらい、危ない場所の方が輝くのさ」

「……」

実際、若造が軽傷の治療を担当するのは理にかなっています。

それに前線といっても、前線医療本部の場所は戦場の最後方でした。

このマシュデールには三層もの堡塁《ほるい》が張り巡らされています。

堡塁とは補強された強化版塹壕《ざんごう》のようなもので、突破するのは並大抵ではありません。

敵がここまで乗り込んでくるには、三つの堡塁を全てを突破せねばならないのです。

つい最近まで最前線を突っ走っていた事を思えば、安全すぎる配置といえます。

「ま、今日からよろしくなリトルボス」

「ええ」

「私たち看護師も頑張りますよ、頼りにしてくださいねトウリさん」

「よろしくお願いします」

自分と同じように、前線に配置された看護師や癒者《ヒーラー》は若手メインでした。

緊張感のない二十代くらいの癒者《ヒーラー》ケイルさんを、若くフレッシュな看護師さんたちが囲んでキャイキャイしています。

「では、敵が侵攻し負傷者が運ばれてくるまで待機です。今は、体力を温存しておいてください」

「はーい」

……妙に人材が若いのは、前線医療本部には体力がある年代が必要だからです。

クマさんは丸々太った偉丈夫ですが、もうそれなりのお歳でした。百メートルも走ったら息切れを起こしてしまうでしょう。

敵が迫り、いざ撤退しなければならなくなった時、十分な体力がないと命を落とす危険があるのです。

「本当に、ここまで敵が来たらどうしましょ」

「はっはは、こう見えても僕はフットボールの選手だったんだ。いの一番に逃げ出して見せるさ」

「アレだけ言っといて一人で逃げないでくださいよ、ケイル先生！」

「あっはっはっは」

もうすぐ開戦だというのに緊張感がないのが気になりますが、自分は放っておく事にしました。

その軽口が、兵士たちの良くやる『恐怖をごまかすための軽口』に見えなくもなかったからです。

それに、ここまでサバト兵が来ることがあるならば、それは我々の全滅を意味します。

殺されるかもしれないという恐怖におびえて逃げだされるよりは、楽観しているほうが良いでしょう。

【九月十一日　昼】

予想どおり正午を過ぎると、敵サバト兵は雄たけびを上げてマシュデールへと侵攻を開始しました。

我々オースティン軍は、三層の堡塁に立てこもって抵抗を試みる作戦です。

百年前に建築されたというマシュデールの城壁は、おそらく現代の砲撃魔法に耐えられません。

なので三つの堡塁をすべて落とされるとマシュデールはほぼ丸裸になってしまいます。

敵に乗り込まれて市街戦に移行すれば、物量差で勝ち目はなし。

時間稼ぎに徹《てっ》さざるを得ないでしょう。

ガーバック小隊の皆は無事でしょうか。

ロドリー君やアレンさん、ヴェルディ伍長などの知り合いが致命傷で運ばれてきた際に、自分は冷静に対応できるでしょうか。

心の準備をしておきましょう。私情に流されてはいけません。

瀕死《ひんし》で助かる見込みのない状況で、無駄に救命しようと手を尽くしてしまうのは悪です。

そのリソースを他に回せば助かる命を、助けられなくなるからです。

もし、全身を火傷したロドリー君が呻《うめ》き声《ごえ》を上げていても。

助かる見込みがなかった時は、彼を診療所から追い出し地面に転がしておかねばなりません。

　ロドリー君が息を引き取るその瞬間まで、僅《わず》かな時間も彼に費《つい》やすことはできないでしょう。

「……」

　胃の酸っぱい味が逆流してきます。考えるだけで吐きそうです。

　だけど、この場で唯一戦場を経験している自分が、それを判断しないといけないのです。

　この戦争で負けないため、そして一人でも多くの味方を救うために。

「……お、どうしたボス。やっぱ怖いなら、市街内に下げてもらうか？」

「い、いえ、覚悟を決めていただけです。ご心配なく」

「そうよね、やっぱり怖いですよね。まだ子供なのに」

　いやな想像をして青い顔になった自分を、スタッフさんたちが心配げに囲んできました。

　これはいけません、上官が周囲を不安にさせてどうするというのです。

　ガーバック小隊長は、いついかなる時でも平静でした。自分の内臓をまさぐられている時ですら、真顔だったのです。

　まったく顔色を変えない小隊長は恐ろしかったですが、反面とても頼もしくもありました。

　……だからあの人は、いつも仏頂面で高圧的だったのかもしれません。

「無理しないで、怖くなったら役場の中央医療本部に逃げてもいいよ。君はまだ、この中で一番若いんだから」

「……いえ、本当に大丈夫なんです」

心配げに自分を見守る前線医療本部の人たちに、自分は曖昧《あいまい》な笑みを浮かべて返答しました。

自分にガーバック小隊長みたいな真似《まね》は無理ですが、せめてまとめ役としての責務を果たすとしましょう。

「自分にとって何より怖いのは、敵に殺されることではなく。ただ、戦友が死んでしまうことなのです」

「そっか」

その言葉が終わるや否や。

マシュデールの前線から、砲撃音が鳴り響き始めました。

一九三八年　夏　7

TSMedic's Battlefield Diary

「懐かしい。……とても、懐かしい名を聞きました」

しばらくパラパラとページをめくり、修道女は日記を読み進めた。

そして日記の主《あるじ》に思いを馳《は》せるように、目を閉じました。

「院長先生。貴女《あなた》はトウリ氏を知っているのですか」

「ええ。当時のノエル孤児院出身者で、彼女の事を知らない人はいませんよ」

私は修道女にそう問いかけると、彼女は微笑《ほほえ》んだ。

そして孤児院の窓の方を向いて、中庭を駆ける子供たちを一瞥《いちべつ》した。

「彼女は私にとって憧れの人でした」

「憧れ、ですか？」

「ええ。男の子だったら告白してたかもしれませんね」

そう話す修道女は、どこか得意げで、どこか寂しげだった。

「普段のトウリ姉《ねえ》は、物静かな人でした。木陰《こかげ》で本を読みながら、チビっ子が危ない事をしないか目を配っていました」

「面倒見がいい人ですね」

「眠れない夜、彼女が人形劇を語り聞かせてくれたことを、今でも覚えています」

修道女はそう言うと立ち上がり、部屋の隅にある棚をガサゴソとあさり始めた。

そして彼女は、その中から古く汚れた狐《きつね》の人形を取り出した。

「これですよ。ずっと昔、建て替える前の孤児院で使っていたお人形です。この狐が、彼女のお気に入りでした」

「随分な年代物だ」

「こんなに可愛《かわい》いのに、もうこの人形は売られてないんですよ」

その人形は何ともいえぬ、奇妙な顔立ちをしていた。

狐の鼻先は欠けていて、黄色布は色落ちてしまっていた。

「……今でもこの人形を見ると、昔の孤児院の記憶が蘇《よみがえ》って来ます。あのころは貧しいながらも、楽しく平和に過ごせていました」

「良い場所だったんですね」

「それはもう」

修道女はそう言って、私にその狐人形を手渡してくれた。

……数十年前。この人形を、トウリ・ノエル氏が手に取っていたのだという。

心なしかその人形から、彼女の温《ぬく》もりを感じた気がした。

「確か収穫祭の日に、トウリ姉がその人形を使って劇を披露してくれましたね」

「へえ、人形劇を」

「トウリ姉は物静かな雰囲気と裏腹に、お祝い好きでした。行事ごとでは人一倍に張り切って、珍しくはしゃいでいました」

修道女はキラキラと目を輝かせて話を続けた。

その様《さま》はまるで、好きな有名人を語るミーハーなファンのようだった。

「ですが、そんな彼女も十五歳で戦争に連れていかれてしまいました」

「……」

「彼女が出ていく日には、大泣きしてしまったのを覚えていますよ。回復魔法の適性があった、ただそれだけで彼女は兵士にされたのです。それっきり、彼女には会っていません」

修道女はそう言って、寂しそうに笑った。

よほど、トウリ氏と親しかったのだろう。

「そしてトウリ姉が従軍して半年ほど経《た》った日、『シルフ攻勢』が始まりました」

「ああ、あの大攻勢」

「あの日のノエルは、まさに地獄のようでした。今なお、思い出す度に震えが止まりません。孤児院の友だちは皆、非道に殺されてしまいました」

修道女は当時の事を思い出したのか、悔しそうに唇を噛《か》みしめた。

『シルフ攻勢』とは、サバト軍最悪の指揮官シルフ・ノーヴァによる多点同時突破作戦のことだ。

この作戦によって、膠着《こうちゃく》していた戦線は一気に混沌《こんとん》へと傾《なだ》れ落ちていった。

「シルフ・ノーヴァの名を聞くと、腸《はらわた》が煮えくり返ります。あの女がこの世に生まれたせいで、優しかった皆が」

「オースティンに、彼女を好きな人間など存在しますまい」

「ええ、本当」

サバト史上最悪の愚将であり、オースティンにとって仇敵《きゅうてき》の女参謀。

彼女の名はオースティンどころかサバト人にすら、忌み嫌われている。

シルフさえこの世に生まれなければ、戦後の人口は倍ほど違っただろう。

まさに、人類史上最悪の「忌み子」だ。

「……良ければ、その時のお話などを聞かせていただけないですか」

「勿論《もちろん》、構いませんよ」

私はシルフ攻勢の話を聞かせて貰《もら》えないか請うた。

当時の私は物心がつく前で、よく覚えていないのだ。

「是非《ぜひ》、いつまでも語り継いでほしい。あの時何が起きたのか、人はどこまで残酷《ざんこく》になれるのか、その話を」

「はい」

修道女はそう言って、真っすぐ私の目を見つめた。

マシュデール防衛戦 2

TSMedic's Battlefield Diary

【九月十一日　夕方】

空が赤味を帯びる始めるころに、やっと戦闘が終わりました。

敵に比べて圧倒的に少数である我らオースティン軍は、意外にもかなり善戦していました。


堡塁《ほるい》は、高さのある塹壕《ざんごう》みたいなものです。ただ穴を掘っただけの塹壕よりも、守りは堅いのです。

そして幸いにも、マシュデールには銃や弾薬はたっぷり保管されていました。

なので弾薬切れの心配もなく、オースティン兵は思う存分にサバト兵を撃ち殺し続ける事ができました。

サバト軍が戦線を突破できた理由は、いきなり大規模攻勢をかけるという奇襲性にあったのでしょう。

その奇襲性が失われた今、兵力差はあれど防衛側が圧倒的に優位なようでした。


更に幸運なことに。

敵は魔石の補給が追いついていないのか、油断していたのか分かりませんが……。

なんと、殆《ほとん》ど準備砲撃を行わずに堡塁へ突撃してきたのです。

強固な堡塁を砲撃もなしに突破しようなど、正気の沙汰《さた》ではありません。

恐らく敵は、落ち延びたオースティン兵がマシュデールで防衛していることを把握していなかったのでしょう。

その結果、一日中オースティン兵はサバト軍を堡塁に寄せつけず粘り続けました。

やがて日が沈むころ、敵は不利を悟って早々に引き上げていってしまいました。

初日は、オースティンの完全勝利と言えましょう。

『調子に乗った馬鹿が的《まと》になりにやってきた』と揶揄《やゆ》されるほど、この日の敵は迂闊《うかつ》でした。

そもそもマシュデールは歴史的に数々の戦争を経験し、一度も陥落したことがない『城塞都市《じょうさいとし》』です。

前の戦争で十年以上も敵の侵攻を食い止め、吟遊詩人《ぎんゆうしじん》に『城よりも関よりも安全な街』と吟じられました。

それからマシュデール市民は、『この都市を落とせる軍はない』と自慢げに語り続けたそうです。

マシュデールは、オースティンにとって希望の象徴でした。

だからこそ、兵士たちの士気も高く大健闘を見せたのでしょう。

百年以上前に建築され、今なお威容《いよう》を誇るその城塞は、逸話に恥じぬ強固な防衛能力を持っていたのです。

そのように、戦況はオースティンが優勢でしたが。

「腕が、腕が！」

「……大丈夫ですよ、すぐに治療をします。奥の初療室《しょりょうしつ》へどうぞ」

前線医療本部には、負傷者がひっきりなしに運ばれ続けていました。

「先生ェ。腸が……溢《こぼ》れて」

「大丈夫さ。すぐ縫ってあげよう」

快勝に沸く前線と対照的に、野戦病院はいつもどおり修羅場《しゅらば》です。

堡塁越しの撃ち合いで負傷した者や、手榴弾《しゅりゅうだん》で火傷を負った者、暴発事故や転落などで負傷した者など、野戦病院は大賑《おおにぎ》わいです。

「……げ、骨盤の複雑骨折だ。こりゃ此処《ここ》では処置できない」

「そうですね、中で見てもらいましょう。彼を役場の中央医療本部に搬送《はんそう》お願いします」

「体勢をあまり動かすな！　出血したらコトだぞ」

戦況が優位だからといって、負傷者が減る訳ではありません。

むしろ善戦しているからこそ、負傷者が無事に撤退できるのです。

無論、これは喜ばしいことです。

そんな彼らを救えれば、それだけ長い期間を戦うことができるのですから。

医療従事者が忙しいのは、素晴らしい事なのです。

「リトルボス、腹が減った。なのに、飯を食う暇もない」

「治療しながらレーションでも啜《すす》ってください。ちゃんと食事はとってくださいね、栄養が足りないと魔力の回復が遅れます」

「僕は魔力タンクか何かなのか」

そんな過酷な現場だからこそ、栄養はしっかり確保しなければなりません。

栄養を取らないと、十分に魔力が回復しないからです。

魔力は【癒《ヒール》】の発動に必須なので、何より大切な軍事資源です。

自分も、お爺《じい》さんに貰《もら》った飴《あめ》をカラコロと舐《な》めながら働き続けていました。

「この方も回復魔法が必要ですね、秘薬を提供しますので処置をお願いします」

「……またかよ」

「あ、秘薬を飲んだ時間はしっかり記載しておいてください。三時間以上空けて使用しないと、大変なことになります」

自分は若手癒者《ヒーラー》ケイルさんにそう注意しながら、メモ紙を差し出して秘薬の瓶の蓋を開けて差しあげました。

マシュデールに秘薬の貯蔵があって良かったです。これがあるとないとで、治療効率が大違いですから。

「あの、ボス。これって、一日一本までっていう劇薬じゃないの?」

「三時間さえ空けたら、使って良いそうです。というか、使わないと回りません」

「……副作用とか訊いても良い?」

「聞かない方が良いですよ、聞こうが聞くまいがやることは変わらないので。……あ、自分も一本いただきます」

ケイルさんに秘薬を渡した後、自分も秘薬の瓶を開けてコキュコキュ喉を潤しました。

酸味の強い科学的な味が、苦みと共に襲ってきて逆に美味《おい》しいです。

「さあ、ケイルさんもグビっとやってください」

「……何だこの匂い⁉　本当に身体《からだ》に悪くないのか？」

「自分の身体を心配する前に、目の前の患者さんを心配しましょう。お薬を飲まないと助けられません」

奇妙な高揚《こうよう》感と共に魔力が湧き上がってくるのを感じました。

回復魔法は便利ですので、衛生部での治療に欠かせません。

多少身体に悪かろうと、秘薬を使わないわけにはいかないのです。

「僕ひょっとして、とんでもない貧乏くじ引いた？」

「何を今さら」

やはりケイルさんは、仕事の内容を楽観していた様子です。

前線衛生兵は三徹四徹など当たり前で、薬漬けになりながら治療し続ける役職です。

自分たちの治療速度がそのまま戦力補充速度に繫《つな》がるので、当然休む暇なんてありません。

こんな仕事に志願するなんて、知っていたらまずあり得ません。

「昨晩はたっぷり眠ったでしょう。あと三～四日は眠れなくても文句言わないでくださいね」

「えっ」

「前線に志願するってのはそういうことです。自殺志願者か、マゾヒストしか志願しません」

「嘘《うそ》だろ……!?」

自分の言っていることが冗談や軽口ではないと悟ったのか、彼は顔を真《ま》っ青《さお》にしました。

しかしケイルさんが若くて体力がありそうな人で良かったです。

超絶ブラック職場な前線では、若さと体力が必須なのです。

「まぁ命の危険がないだけマシですよ。最前線を走らされるよりは、ずっと……」

「ここより酷い職場があるのか」

「銃弾が飛んでこないだけ、優遇されています」

こんな環境でも、歩兵に比べれば天国のような仕事でしょう。

何せ彼らは、今も銃弾が飛び交う中でサバト兵と命のやり取りを続けているのですから。

「よし、魔力が戻ってきました。次の患者さんを呼び入れてください」

「こんな小さな娘のどこに、そんな体力が」

「軍に半年もいれば、勝手に体力が付くものです」

この半年間、自分はひたすら小隊長殿に走らされ続けました。

それもこれも、全て体力を付けるための訓練です。小隊長殿は、自分に最優先で体力訓練を課しました。

彼に「今の貴様《きさま》に最も足りなくて、かつ最も必要なものだ」と怒鳴られながら、フル装備マラソンを血反吐《ちへど》を吐くまで走らされた記憶は苦い思い出です。

しかし、その訓練がなければ自分はマシュデールまでの撤退に成功していないでしょう。

つまり戦場において生き残るためにはスタミナ……、バイタリティこそ何より重要なのです。

「次は自分が飲みましょう。秘薬を一本いただきますね」

「え、さっきも飲んでなかった?」

「大丈夫です。自分はまだ若いので、臓器も元気です」

「……」

恐ろしいものを見る目でケイルさんが見ていますが、気にせずグビグビと秘薬を一気飲みします。

確かに秘薬を飲みすぎると背が伸びにくくなったり、肝臓がヤバい事になったりはします。

しかし兵の治療が間に合わず戦線を突破された場合、我々は命を奪われるのです。

だから多少の無茶は、仕方がありません。ゲールさんもそう仰《おつしや》っていました。

「あーもう、分かったよ俺もやるよ!」

「ご協力感謝します」

淡々と治療を再開した自分を見て、覚悟を決めたのか彼も秘薬を一気飲みしました。

よかったです。この秘薬はアルコールも含んでいるからか軽く気分を高揚する副作用もありますので、

「よっしゃあ、こうなりゃ患者何人でも秘薬何本でももってこい！　全部さばいてやる！」

「頼りにしております」

一度飲んだら、次は躊躇《ためら》いなくお代わりしてくれるようになるのです。

衛生兵の中では『キマる』とかそんな隠語が使われるほど、テンションが上がります。夜勤中、嗜好品《しこうひん》代わりに愛飲しだす人すらいます。

幸か不幸か自分はあんまりテンションが変わりません。もしかしたら自分は、お酒に強いのかもしれません。

こうして戦闘初日は、日が暮れるまで延々と軽症の患者の処置に追われて時間が過ぎていきました。

幸いにも、ガーバック小隊のメンバーが運ばれてくることはありませんでした。

今日は殆ど死傷者が出なかったという話ですし、きっと生き残ったのでしょう。

「戦闘は終わったんじゃなかったのか」

「戦闘が終わったからこそ、来てくださったんですよ」

そして夜。相変わらず、前線診療所は大賑わいでした。

昼間は堡塁防衛が忙しく離脱できなかった負傷兵が、治療にやってきたのです。

「脚に銃弾を受けてしまってな」

「ふむ、傷口が汚染されていますね。ばい菌が入ると危ないので、薬を三日間ほど飲んでください」

「了解だ、小さなドクター」

このマシュデールの前線医療拠点は、衛生兵が二人しかいません。

重傷者は中央医療本部に振っていますが、それでも大忙しです。

「……リトルボス。あまりに、眠い」

「お辛《つら》いなら、仮眠をとってくださいケイルさん。その間、自分が対応しておきます」

「それは、大人としてできない……」

「では、引き続きお願いします」

徹夜に慣れている自分は余裕ですが、早くもケイルさんはフラフラになっていました。

自分も徹夜になれていないころは、こんな感じでしたっけ。

「もう少し頑張れば、負傷者もひと段落します。それまでの辛抱です」

「おう……」

幸いにもこの日は深夜三時ごろに患者の足が途絶え、二時間ほど眠ることができました。

戦闘があった日の晩に眠られるなんて、奇跡的です。

この事からも、戦闘初日は非常に優勢に戦うことができたのでしょう。


【九月十二日　昼】

しかし二日目になると、流石《さすが》にサバト軍の攻撃は苛烈《かれつ》になってきました。

「隠れろ！　爆風の直撃を避けるんだ！」

「堡塁が壊されて、仲間が生き埋めにされた！」

おそらく初日は、こちらの防衛戦力を過小評価していたのでしょう。

我々がしっかり兵を配備していたことに気づいたようで、敵も本腰を入れた攻勢に切り替えたようです。

この日の攻勢の前には、しっかり数時間に及ぶ準備砲撃が行われました。

「敵が突撃してきたぞ、撃ち返せ！」

「駄目です、さすがに数が……」

初日とは打って変わって、オースティン兵は苦戦を強いられました。

アリア少尉《しょうい》率いる魔導《まどう》部隊が応戦したのですが、物量差はどうにもなりません。

魔砲攻撃の密度も兵力も、サバト軍の方が圧倒的に上です。

味方の死体を頭に被り爆風をやり過ごす、いつもの地獄が堡塁にも広がり始めました。

「痛い、痛い痛い痛いぃ！」

敵が魔砲攻撃を開始した二日目から、一気に前線医療本部へ運ばれてくる死傷者が増えました。

軽い怪我《けが》から死にかけの重傷まで、ひっきりなしに担架が担ぎ込まれます。

「ぐ、腹腔《ふくくう》内出血……。くそ、早く中央医療本部に搬送してくれ！」

「はい、先生！」

看護師とケイルさんの叫びが響く中、自分は色鮮やかな紐《ひも》を患者の手に結んでいました。

運ばれてくる重傷者の中で、自分たちは治療の順番を吟味《ぎんみ》せねばなりません。

誰を先に治療すべきか、誰を後方の中央医療本部に送るべきか、数秒の内に判断する必要がありました。

「ケイル先生、後ろの患者の息が弱くなってきてます！」

「その人は、もう無理だ……。お看取《みと》りしろ」

この行為を、トリアージと呼びます。

助からない命に時間や魔力を注ぐと、助かるはずの命も救い落としてしまいます。

……負傷者に交じって、助からない人も搬送され始めていました。

その『助からない人を見殺す』事こそが、自分の仕事でした。

「なっ……!? ちょ、君《きみ》！」

次から次へと患者をトリアージしていく最中、後方の診察室で男の悲鳴が上がりました。

「熱い、あづぃ……。助げ、て」

「ま、待ってくれ、今治療中だ……」

振り返ってみると、ケイルさんがトリアージを無視して横入りした兵士に腕を摑《つか》まれていました。

その兵士は息も絶え絶えで、抱き着くように癒者《ヒーラー》に詰め寄っていました。

「死ぬ、じぬ……」

「もっ、もう少し待ってくれないか。その、治療には順番があってだな」

「たずけ、て」

その負傷兵の顔はドロドロに溶け赤くなっており、頰から真っ白な皮下組織が露出《ろしゅつ》していました。

髪は焼け焦げて剝げ、目は白く濁《にご》っています。

「喉がぁ、渇ぃて」

彼の赤白い胸板には水疱《すいほう》がぼこぼこと浮かび、ところどころ炭になっています。

ヌメりとした漿液《しょうえき》が、寄りかかられたケイルさんの白衣に滴《したた》り落《お》ちました。

……。

その方の対応に困ったのか、癒者《ヒーラー》も看護師も固まってしまいました。

「助けてぐれぇ……！」

「う、あ……」

彼は、これほどの重傷者を見るのは初めてなのでしょうか。

患者に抱き着かれたケイルさんは、動くこともできず冷や汗を流すばかり。

このままでは、処置がストップしてしまいます。

「大丈夫です、負傷兵さん。こちらにお越しください、お薬を処方します」

自分はトリアージを中断し、手早くその大火傷《おおやけど》した負傷兵の手を引きました。

ズルリと、掴んだ負傷兵の腕の皮がめくれ、薄く黄色い漿液が自分の手袋を伝います。

「ヴぁ……」

「そのままじっとしてください」

そして自分は負傷兵の顔を抱きしめると、事前に準備していた薬をシリンジに吸いました。

同時に、ケイルさんに治療を続けるよう目配せします。

「そうでしたか」

「おれ、生き残ったんだ、あの、ぜいぶせんせんを」

「じにたくない、こんなどころで、じにたくない」

「大丈夫です、落ち着いて深呼吸をしてください」

「まだ、じねないりゆうが、ある――――」

火傷は、重症度によって症状が変わります。

まだ赤黒い火傷は神経が残っていますが、青白くなったり炭化した皮膚《ひふ》には神経が残っていません。

……血流も途絶えタンパクも変性し、壊死《えし》するのを待つばかりの冷たい肉塊となるのです。

「やっと、ふりむいて、ぐれたんだ。かのじょに、あいたい、あいたい」

「……」

「どこにいるんだ、せめてさいごは、君の眼《め》を見で――」

その真っ青な皮膚を抱きしめても、患者さんに痛みはありません。

自分は泣き叫ぶその兵士を抱きしめたまま、ゆっくりと薬を口の中に落としてやりました。

「あ……」

「そうです、そのままゆっくりお休みください」

シリンジで口の中に全て薬を入れ切ってやると、その兵士の目は虚《うつ》ろになっていき。

まもなく、負傷兵の息は浅くなってイビキをかき始めました。

「何も考えなくていいんです、静かにおやすみください」

「……あ、い、……」

やがて彼は自分の腕の中で、眠るようにカタリと昏倒《こんとう》しました。

「あ……」

その呼吸は浅く、微《かす》かなものです。

「看護師さん、この方を所定の場所へ」

「……あの」

「お看取りです」

先ほど飲ませたのは、かなり強めの睡眠薬です。

彼の火傷の範囲から、救命はどうあがいても困難でした。

せめて痛みを感じぬまま、逝《い》ってもらった方が楽でしょう。

「もう彼が意識を取り戻すことはありません」

このように、治療中に他の患者が乱入してくることは多々あります。

そういった場合、なるべく早く処理しないと他の方の治療が滞ります。

しかし冷徹に対応すると、その患者がパニックを起こすばかりか、前線兵士の士気にかかわります。

「では、次の方」

なので自分は、先ほどのように穏便に対応する事が多いです。

やっていることは殺人ですが、医療をスムーズに行うためには手段を選んでいられません。

人によってやり方は違いますが、話が通じないケースは一服盛る事が多いようです。

「……ごめん、リトルボス。嫌な仕事押しつけちまった」

「トウリと呼んでください」

ですが、何度経験しても思います。

死にゆく人を抱きしめるのは、辛いものです。

自分には、冷え切って固く冷たくなった兵士を抱きしめた感覚が、今もなお残っていました。


【九月十二日　夕方】

「爆音が止んだ……」

「終わったみたいですね」

空に赤みがかかるころ。

長かったサバト軍の攻撃が終わり、オースティン兵が勝鬨《かちどき》の声をあげました。

「戦場が地獄絵図だぜ」

「まだまだ。こんなもの、地獄とは呼べませんよ」

昨日と違って、敵は長い準備砲撃を行いました。

そのせいで最外郭《さいがいかく》の堡塁はボロボロにされましたが、味方の奮戦で何とか防衛に成功したみたいです。

「……推定損害はどのくらいでしょうか」

「医療部で看取っただけでも百人は超えるぞ」

しかしその代償として、オースティン兵に多大な損害が出ました。

魔砲攻撃は、塹壕や堡塁に籠《こも》る防衛部隊にとって最も効率的な攻撃法です。

どんなに強固な【盾《シールド》】を展開していても、崩れてきた堡塁に生き埋めにされては助かりようがありません。

「これを繰り返されたら、マシュデールはいつか必ず落ちる……」

何より問題視すべきは、たった一日の攻撃で最外郭の堡塁が使い物にならなくされたことです。

堡塁の壁のところどころには人が通れる程度の崩落ができてしまい、防衛能力はかなり落ちてしまっているのだとか。

前線では慌てて塹壕を掘っているそうですが、明日までに間に合うかどうか分かりません。

そもそも、明日まで敵が待ってくれるかも不明です。間髪《かんぱつ》入れず、夜襲を掛けてくる可能性だってあるのです。

「むしろ、今日どうして引いてくれたんだ?」

「サバトとしても、今日中に攻め切る必要はなかったんでしょうね。我々の迎撃体制から、残存兵力が少ないのはバレているでしょうし」

「ゆっくり確実に攻略しに来たわけか」

「砲撃魔法用の魔石が補充されるのを待ったのでしょう。勝ち戦で、無駄に損害を増やさぬように」

損害を気にしないのであれば、敵は今夜にもマシュデールを落とすことができたハズです。

戦力差は歴然なので、物量にものをいわせ全軍突撃されれば防ぎようがありません。

しかし、窮鼠《きゅうそ》猫を噛《か》むという諺《ことわざ》もあります。

我々が命を捨てて抵抗すれば、損害は馬鹿にならないでしょう。

敵は、それを嫌ったのです。

「結局、勝ち目の薄い戦いのままか」

「元より勝ち目がない戦いです。この都市が陥落するのは規定事項。我々が頑張っている理由は荷物を運び出したり、民が避難する時間を稼ぐためでしょう」

サバト側には、マシュデール攻略にあたり時間制限なんてありません。

むしろ、たっぷり時間をかけた方が後方から物資が届いて有利になります。

彼らは既に、戦争の勝利者なのです。主力の殆どを失ったオースティンを、いかに損害少なく占領《せんりょう》するかが重要です。

だからこそ、本日は余裕をぶっこいて撤退していったのでしょう。

「マシュデールが落ちる日が来るなんて、想像だにしていなかった」

「自分も同じ気持ちです」

「逃げ遅れて敵に捕まっちまったら、どうなると思う？」

「嬲《なぶ》り殺《ごろ》しにでもされるのではないでしょうか」

サバトとは十年間も争い、殺し合い続けた敵国です。

だから捕まった時、凄《すさ》まじい悪意に晒《さら》されることは想像に難くありません。

「そいつは勘弁してもらいたいね」

「自分だって御免です」

その軽い口ぶりとは裏腹に、ケイルさんの顔は不安で曇っていました。


【九月十二日　夜】

深夜になっても、野戦病院に担ぎ込まれる人は一向に減りません。

「……この方も、お看取りです。外に運び出してください」

前線医療本部は、腐った屍肉《しにく》の匂いで充満していました。

自分たちの服には数多《あまた》の血痕《けっこん》がこびりついていて、ギトギトと脂《あぶら》が光っています。

しかし、自分たちに着替えたり休んだりする時間はありません。治療対象者に対して、癒者《ヒーラー》が少なすぎるのです。

「先生、指が千切れちまって」

「これは、残念ですが潰れてしまってますね。結合は無理です、このまま止血します」

「背中が火傷で痛くて痛くて」

「大丈夫、これならまだ死なないさ。看護師さん、誰か彼に軟膏《なんこう》を塗ってあげてください」

若手のケイルさんは眠気が超過してハイになったのか、逆にハイテンションで働き続けていました。

目が虚ろになってきていますが、テキパキとますます効率的に仕事をこなしています。

「先生、次の患者です」

「ああ、ジャンジャン連れてきたまえ」

あの感じですと秘薬が切れた瞬間、糸が切れたかのように眠る危険性がありますね。

そうなったら、自分一人で頑張るとしましょう。

「うーん、回復魔法が要るね。秘薬、秘薬、と……」

「あれケイルさん、さっきも飲んでいませんでしたっけ」

「僕はまだ若いんだ、臓器だって健康さ」

ケイルさんはいつの間にか、随分とキマっている様子でした。

あの濁《にご》った目は懐かしいですね、初めて秘薬を飲むと結構キマりやすいのです。

自分の同期の衛生兵は、初めて秘薬に頼った時はキマリ過ぎて一週間くらい起きていたと言ってました。

「あははは、漲《みなぎ》る、漲るぞぉ！」

「トウリさん、この薬大丈夫なんですか？」

「少なくとも自分は、割と大丈夫でしたよ」

秘薬には覚せい剤成分に加え、ステロイドとかアルコールとか色んなものが入っているっぽいので、前世基準だと絶対アウトです。

こういう自分の限界を超えて働かないといけない場所では、実に有用だったりします。

強いて文句をいうなら、この秘薬を飲み始めてから身長が伸びなくなった事ですかね。

「これくらい気分が高揚しないと、恐怖に飲まれますからね」

「……」

恐らく今夜は徹夜でしょう。何なら、戦闘終了までずっと寝られない可能性の方が高いです。

それならば、多少ハイになってもらって限界まで稼働してもらった方が助かります。


「あ、ヴェルディさん」

「ぐぅうむ……、ゴホゴホ」

「……げっ、酸素缶を準備。そして今すぐこの人を、中央医療本部に搬送お願いします」

その後、しばらくしてヴェルディ伍長《ごちょう》がかなりの重傷で運ばれてきて少し焦りました。

腕を撃たれしばらく痛がっていたようですが、急に意識がなくなって呼吸が止まりかけたそうです。

見捨てようか迷う重症度でしたが、中央医療本部で頑張れば助かりそうだったので急いで運んでいってもらいました。

致命傷の知人は、いつ見ても心臓に悪いです。

「助かるといいけどね」

「ヴェルディさんはまだ若いので、助かる可能性の方が高い……と思います」

ロドリー君やアレンさんは無事でしょうか。

ガーバック小隊長殿は……、どうせ死なないでしょう。致命傷でも真顔でスタスタ歩いてきそうです。

「次の患者が来たぞ……おそらく肺塞栓《はいそくせん》だ。搬送急げ！」

「了解」

自分は息も絶え絶えのヴェルディ伍長に小さく敬礼し、すぐ治療に戻りました。

【九月十三日　午前未明】

「手伝いに来た」

「アリア少尉殿」

それなりにキマったケイル氏と自分が変なテンションで治療を続けていると、助っ人が現れました。

それは何と、アリア少尉殿でした。

「私は元々、看護兵志望だったからな。応急処置は任せてくれ」

「おお、そうでしたか」

「うっかり砲撃魔法の適正なんて持っていたばかりに、最前線送りにされたよ」

アリア少尉殿は、元々は看護兵として後衛勤務を希望していたそうです。

しかし士官学校で適性を調べてみると、これ以上ないくらい砲撃魔法適性を持っていました。

これを受け、彼女は魔導士の道を進み看護兵になる夢を断念しました。

砲撃魔法使いも衛生兵に負けず劣らず希少であり、遊ばせておく余裕なんてありません。

「それと、ヴェルディの容態はどうだ？」

「それなりにヤバくはありました。ただ、早めに運び込んでもらえたので助かると思います」

アリア少尉は、ヴェルディ伍長の様子を尋ねて来ました。

従兄弟《いとこ》の関係なので、心配だったのでしょう。

「……それは良かった。あと昼間に一人、ここにダラットという魔導兵が運ばれてこなかったか」

「魔導兵ですか？　……すみません、治療対象の兵科の確認は怠っておりました」

「いや、別にいい。少し彼の容態が気になっただけでな」

アリア少尉は手伝いながら、いろいろと自分に訊いてきました。

もしや彼女は、知り合いが心配で我々の手助けを理由にお見舞いに来たのでしょうか。

「ダラットさんは、アリア少尉の部下の方ですか?」

「ああ、うちの魔導中隊のメンバーだ。……私の撤退の判断が遅れて、敵の砲撃に巻き込まれてしまった」

「でしたら少尉、ここはあくまで診療所です。病床はマシュデール役場の中に設置されており、重症な方はそちらに搬送されます。ご心配でしたら病床に行かれてはどうでしょう」

「……いや。少し気になっただけなんだ、彼の見舞いが本題ではない」

少尉はかぶりを振って、負傷者の処置を手伝い始めました。

見舞いも兼ねて、処置の手伝いに来てくれたといったところみたいですね
いずれにせよ、一人看護師が増えるだけで大助かりです。アリア少尉がそう言うのであれば、ありがたく手伝ってもらう事としましょう。

「……ケイル先生、治療待ちの列で倒れている人が」

「リトルボスのトリアージはどうなってる?」

「赤です」

「じゃあ、看取れ」

治療を続けている間に、また一人戦死者が出た様子でした。

トリアージ、というのは重症度に合わせ患者に付けたタグの事です。

赤い色のタグの意味は『集中治療を行わねば死ぬ重症度』。

つまり、全力で治療しても助かるかどうか分からない人です。

「トリアージが赤なのに、列に並ばせていたのか？」

「……ええ。赤の方は、並んだままにしております」

普通の病院であれば、トリアージの赤は最優先の救命対象です。

しかし、戦場においては『助けるとコストパフォーマンスが悪い』患者さんといえます。

なのでトリアージが赤の患者さんは、自分の判断で中央医療本部に搬送せず捨て置くことにしました。

「……戦死した人は、どうしてる？」

「城壁に沿って並べています」

死体の処理として、事前に穴を掘っておき死体を入れておくと燃やしやすいし埋めやすいのですが、我々にそんな時間的余裕はありませんでした。

亡くなった戦友は、無造作に大地に転がされて放置されています。

きっと彼らは、マシュデールがサバト兵に占領された後に供養もされず野晒《のざら》しになると予想されます。

できれば、同胞である我々の手で埋葬《まいそう》してやりたいのですが。

「……分かった」

アリア少尉は黙したまま、戦死者の足を持って運んでいきました。

遺体となったその人に赤のトリアージを付けて、見殺しにする判断をしたのは自分です。

……今日だけで自分は、百人以上を見殺しにしたことになります。

自分は、死んでも天国には行けそうにないですね。


「……少尉？」

「ああ、いや」

死体置き場から戻ってくると、アリア少尉は涙声になっておりました。

どこか、憔悴《しょうすい》しているようにも見えます。

「……その、もしかして」

「ああ。いたよ」

そんな彼女の様子を見て、自分は察しました。

彼女が心配していた部下が、どうなってしまったかを。

「助からんとは思ったが、やはり目の当たりにするとなぁ」

「……アリア少尉、部下を失ったのは初めてですか？」

「いやいや。これでも、君よりずっと長く戦場で生きてきたんだ。部下を失うくらい、何度も何度も経験してきたさ」

そのアリア少尉の部下には、やはり赤いトリアージが付いていたそうです。

自分が、その重症度から見捨てる判断をした方のようです。

「ただ」

アリア少尉は、看護兵志望です。

無論、赤いトリアージの意味くらいは理解したでしょう。

そして、この前線本部で誰がトリアージを行っていたかも把握しています。

「ボーイフレンドを失ったのは、初めてかな」

どうやらアリア少尉の恋人は、自分が見捨てたようでした。

「私は、性格がキツい方だから。あんまり、寄ってくる男はいなかった」

「そんなふうには、見えませんけど」

「普段はもっと威張ってるんだぞ？　隊長って肩書きを持ってしまうとな、どうしても威厳が必要なんだ。部下を従える能力がそのまま、部隊の生存率に直結するからな」

少尉は、力なく笑いながら自分の隣に腰かけました。

そして、目の前で呻《うめ》いている患者に包帯を巻くのを手伝ってくれました。

「上に立つものは、怖がられるのが仕事。特に私を親の七光りと、嫌う部下も多かったさ」

「……」

「でも、ダラットは子犬みたいな男でな。どんなに怒鳴られようと、ずっと私の回りをピヨコピヨコついてきた」

「……」

「コネ目当てかと思って相手にしなかったんだが、あんまり懐かれるもんで絆《ほだ》されてな。いつしか、そういう関係になってた」

アリア少尉に、自分を怨《うら》むような素振りはありませんでした。

ただ、自嘲《じちょう》するかのような口調で、恋人との思い出を語るのみでした。

「分かってたのになぁ。こんな戦場《ばしょ》で、恋なんてすべきじゃないって事くらい」

「それは」

「ああ、迂闊《うかつ》だった。……前線兵を援護しようと焦るあまり、私の中隊は敵の砲撃の範囲内に入ってしまっていたんだ」

「……」

「結果、ダラットは詠唱中に砲撃魔法の直撃を食らった。彼が助からないのは……自分だって理解していた」

そういえば、と自分は思い出しました。

凄まじい火力で全身を火傷しており、救う手立てがなく看取った兵士がいたことを。

「……その。もしかしたら、ダラット氏を看取ったのは自分かもしれません。彼はもう救命が難しい状態でしたので、その」

「ああ、安心してくれ。彼が爆撃を食らったのは、私の判断ミスだ。君は、何も気にする必要は無いいさ」

「……」

自分は彼が騒がないよう、淡々と睡眠薬を飲ませて昏倒させせました。

ダラット氏が最後に何か言おうとした言葉さえ、聞こうとしないまま。

「彼を看取ってくれてありがとう」

その言葉を最後に、少尉殿は一切話さなくなりました。


その後、深夜までずっとアリア少尉は、自分たち医療部の仕事を手伝い続けてくれました。


「……あの、少尉殿」

「何だ」

それは、彼女なりの贖罪《しょくざい》だったのでしょうか。

それとも、何も考えたくなかったから無心に手伝ってくれていたのでしょうか。

「もう、日付が変わります。少尉は、明日の戦闘に備えて休養すべきです」

「……そうか。もう、そんな時間か」

アリア少尉は、結局。

夜遅くまで延々と、医療部の手伝いをし続けたのでした。

【九月十三日　夕方】

マシュデール防衛戦、三日目。

この日も敵は、突撃する前に朝から時間をかけて魔法による準備砲撃を行いました。

どうやら奇をてらった作戦を取らず、ひたすら堅実に攻めてくる方針のようです。

「……ああ、マシュデールの外郭が」

遠目に見える崩壊した堡塁を見つめ、若い癒者《ヒーラー》は呆然《ぼうぜん》としていました。

朝からの砲撃の末、最外郭の堡塁はほぼ破壊され尽くしました。

あの有り様《さま》では、もはや銃撃を防ぐ壁として機能しないでしょう。

それはつまり、

「三日目で、もう堡塁が一つ落ちたのか」

我々の、最初の敗北を意味します。

「まだ戦いが始まったところなのに、堡塁が落ちて大丈夫なのか？」

「大丈夫とは言えませんが、味方に損害が無いことを救いと思いましょう」

幸いにも今、サバト軍が必死に砲撃している堡塁に防衛部隊はいません。

この日、敵の砲撃開始を受けてすぐ、レンヴェル少佐は予《あらかじ》め最外郭の堡塁の放棄を味方に通達したからです。

つまり敵兵は、防衛部隊のいないがらんどうの堡塁を半日以上砲撃し続けているのです。

敵に無駄に資源を浪費させ、かつ味方の損害はなし。

戦術的にはレンヴェル少佐の勝利と言っても過言ではないのですが……。

「少佐も怖いことするねぇ。僕らが兵を下げた瞬間に、敵が突撃してきたりしないの？」

「しないでしょうね。敵は自分たちとそんな読みあいをしなくても、入念に魔砲攻撃すれば損害なく堡塁を占領できるので」

「まあそうするわなー……、それが一番確実だもんな」

敵からしたら、防衛部隊がいようがいまいがやることは変わりません。

万が一の事を考え、愚直に丁寧《ていねい》に準備砲撃をかますだけです。それが一番確実で、損害が少ないからです。

そしておそらく彼らは、輸送されてきた軍事物資を節約する必要が無いと考えているのでしょう。

「砲撃用の魔石なんて、戦争中しか価値がありませんからね」

「戦争が終わるのに、魔石を余らせとく必要なんざ無いからなぁ」

この戦いは、戦争の雌雄《しゆう》を決する戦いではありません。西部戦線を突破された時点でもう、決着はついているのです。

もしかしたらレンヴェル少佐に一発逆転の秘策があるのかもしれませんが、普通に考えるならこのマシュデール防衛戦は我々の悪あがきでしかありません。

だからサバト兵は、届いた資源は惜しみ無く使うのでしょう。彼らもオースティン軍の悪あがきで余計な損害をこうむるより、使えるものは全部使って安全に決着させたいはずです。

「……本当に、落ちるんだな」

そして、マシュデールを攻略する事の政治的価値は結構大きいです。

マシュデールはオースティンにとってまさしく『精神的支柱』。

長い間「難攻不落《なんこうふらく》」としてオースティンの民の心のよりどころであったマシュデールを陥落させれば、国民の精神《こころ》をへし折ることができます。

心の折れた市民の方が、侵略者にとって統治しやすいのです。

「うっかり逃げ遅れて捕虜《ほりよ》にでもされたら、そりゃあ酷い目に遭うだろうな」

「サバトの人は、女性相手でも容赦《ようしや》しないらしいですね」

侵略者は軍事力によって、植民地の民を押さえつけねばなりません。そのために、マシュデール陥落という戦果はこの上ない材料となります。

なので彼らは惜しみ無く資源を吐き出して、確実にマシュデールを攻略するのでしょう。


三日目は、敵方が最外郭の堡塁を確保して終了となりました。

これは双方にとって、予定どおりの結末です。オースティンは味方の損害なく敵の砲撃を躱《かわ》し、サバトは損害なくマシュデールの堡塁を占拠したのですから。

これで、マシュデールに残された堡塁はあと二つ。

初日の迂闊な突撃を加味しなければ、二日おきに堡塁が攻略されていく計算です。

「このままだとあと一週間以内に、マシュデールは落ちるでしょう」

「かもな」

レンヴェル少佐は、いったいどこまで戦局を見とおして戦っているのでしょう。

民間人の避難の時間稼ぎとして奮戦しているとすれば、我々はここで捨て石にされるのでしょうか。

それとも、まだ何かしらの勝機があるからこそ粘っているのでしょうか。

「もう負け戦だろう？　とっとと降伏すべきじゃないのか」

「おそらく政府も、無条件降伏を検討しているでしょうね」

「早く敵の外交官に土下座しに行ってほしいもんだ。降伏までの期間で散らす命が勿体《もったい》ない、まさに無駄死にじゃないか」

「いえ、価値は大いにあるでしょう」

若手の癒者《ヒーラー》ケイルさんは、かつての病床主任のようなことを言い出しました。

今になって考えると、病床主任の言うとおりとっとと降伏していた方がよほどマシだった気がします。

降伏とまではいかずとも、もし講和に成功していればノエルは焼かれずに済んだのですから。

「我々は今、命を賭《か》けて後方の民を守っているんです。我々の犠牲で助かった命があるなら、この戦いに意味があると信じます」

「……だと、良いがね」

そして今、我々はノエルのような都市をこれ以上増やさないよう奮戦しているのです。政府が重い腰を上げ、サバト連邦に泣きついて慈悲《じひ》を乞うその日まで、一人でも多くの民間人を守り抜く。

それが、軍人の定めです。

「なので、いざという時は自分を置いて逃げてください。ケイルさん」

「や、だから君の方が年下で」

「軍人とはそういうものなのです。間違いなく、軍属の自分より民間協力者のケイルさんの方が先に避難命令が出されるでしょう。その時はどうぞ、躊躇《ためら》って無駄に命を落とすことの無いよう」

故郷ノエルを失い、家族がいなくなった今。

自分に残されたのは、軍人であるという肩書とガーバック小隊で知り合った戦友だけです。

戦争が終わったとして、自分に帰る場所はありません。

「どうせ自分が死んでも、悲しむ人は殆どいないですから」

「おいおい」

「孤児の自分が、出身の孤児院を焼かれたのです。少なくとも貴方《あなた》よりは、身軽な身の上です」

ロドリー君とかは自分が死んだら悲しんでくれそうですけど、きっとすぐに乗り越えて前に進んでくれます。

それが、今は亡きグレー先輩から教わった最期の訓示だからです。

「……その言葉、二度と吐かないでくれよリトルボス。気分が悪いから」

「すみません」

しかし、確かに癒者《ヒーラー》の前で『自分が死んでも悲しむ人はいない』と言うのは、不躾《ぶしつけ》だったかもしれません。

そんな自分の言葉を聞いたケイル氏は、明らかに怒っていました。

当たり前です。自分もきっと、助けようとしている患者にそんな言葉を吐かれたら不快になるでしょう。

「口が滑りました、訂正してお詫《わ》びします」

「なぁリトルボス。これは僕個人の勝手な感想ではなく、あくまで一般論だが」

「はい」

「『自分が死んでも誰も悲しみません』とか言ってる十五歳の女の子が戦死したらよ、大概の大人は発狂するくらい悲しむ」

「……」

「よくよく覚えとけ」

その言葉で自分は知らず知らずのうちに、自身の命を軽視していた事を自覚しました。

このマシュデールの戦いで命を落とすことは無意味とは言いません。しかし、だからと言って自分の命を粗末《そまつ》にしていいわけではないのです。

「ごめんなさい、ケイルさん」

自分の命は、多くの犠牲の上に成り立っているのです。

自分の命はサルサ君にグレー先輩、ロドリー君とたくさんの人に支えられ、助けられてきた命だったのです。

「自分の考えが甘かったです、すみません」

「ああ」

自分は生きねばなりません。たとえ家族がおらずとも、今まで助けてくれた人に報いるためにも簡単に死ぬわけにはいかないのです。

それが、死んでいった戦友たちへの何よりの贖罪なのです。


【九月十五日　昼】

最初の堡塁が陥落してから、二日後。マシュデール防衛戦、五日目。

マシュデール二層目の堡塁の攻略は、やはり敵の魔砲攻撃から始まりました。

「魔砲攻撃が一日空いたってことは、やはり敵も補給が追いついていないんだろう」

「魔石が到着するのを待って、魔砲攻撃を再開したという事ですか」

サバト側は、徹底して損害を少なくマシュデールを攻略する方針のようです。

遠距離からの魔砲攻撃に、歩兵が対抗する手段はありません。

ただ陰に隠れてブルブルと震え、砲撃がこっちに飛んでこないよう神に祈ることしかできないのです。

「……」

いかに古い城壁とはいえ、かつては難攻不落を謳《うた》われたマシュデール。

敵も甘く見ず、堅実に攻めてきているのでしょう。

「政府の降伏声明は、まだでしょうか」

「西部戦線が崩壊してからもうすぐ二週間。この戦況だと、そろそろ声明を出してもおかしくはない。ここが落ちる前に成立させてほしいねぇ」

「政府が色気を出して、無条件降伏ではなく何とか講和できないか交渉しているとかでしょうか」

無条件降伏をしてしまえばこの土地は植民地になりますし、我々オースティン国民はサバトの奴隷になります。

それを回避すべく、何とか国と領土を保とうと交渉している最中。

終戦が遅れている原因としては、このあたりでしょうか。

「南の方は、まだ殆ど被害が無いんだろう？　そこから救援を出せないのか」

「そんなことしたら、無事だった南方面の都市も焼かれしまうでしょうね。おそらく、南部都市以外の領土の大半を割譲しての講和になると思われます」

　唯一このオースティン内で戦火を免れているのは、シルフ攻勢に参加しなかった南部戦線のみでした。

　てっきり全戦線が突破されたのかと思っていましたが、なぜか南の方では攻勢が行われなかったようです。

　単純に資材が足りなかったのか、或《あ》いはリスクが高すぎると判断したのかもしれません。

「南の都市を維持できている点が、現状唯一の希望ですね。もし政府が講和を目指しているなら、我々に許される領地はここになるでしょう」

「講和、ねぇ」

　南部都市は資源に乏しい代わり、現在も防衛戦力は保たれ民間人も無事です。

　それはつまり、講和となれば保有を許してもらえそうな領地でもあります。

　だからこそ、首脳部は南の戦力を動かしたくないのでしょう。

「そりゃ講和できるなら、それに越したことはないけど。今の戦力差で受けいれて貰えるとは思えんが」

「もしかしたらレンヴェル少佐は、講和を引き出すためにここで奮戦するおつもりかもしれませんね」

「ここで敵の侵攻を押し止《とど》めて、講和に持っていくってこと？　……できるの？」

「……すみません、自分は軍学に乏しいのでわかりません。レンヴェル少佐の心のうちも、想像でしかないので」

実際、マシュデールで戦線を維持できるかと訊かれたら微妙としか言えません。

既にマシュデール以外の近隣都市は突破されており、この付近だけが敵の進軍を押し止めている状況です。

それは単なる時間稼ぎでしかなく、この行為に戦術的価値があるかは分かりません。

その稼いだ時間で市民が逃げられるなら、自分たちが命を張る価値はあると思いますが。

「敵が面倒臭がって、マシュデールを迂回《うかい》してくれないかな」

「我々を放置はできないでしょうね。敵の補給線を狙える場所に陣取っていますので」

「だよね」

現在、サバト軍はオースティン領土の内地まで侵攻しています。

裏を返せば、その補給線はか細く伸び切っている事でしょう。

そして補給線を叩《たた》かれれば、いかなる軍も機能が停止してしまいます。

だから我々のように寡兵であっても、侵攻ラインより後ろに放置する事はできないのです。

「それに、敵もマシュデールからいろいろ略奪したいんだろう」

「……敵からすれば、都会であるマシュデールは魅力的でしょうね」

だから敵が、マシュデールを放置してくれる可能性はありません。

ここに自分たちが立て籠もっている以上、彼らは攻め落とさねばならないのです。

レンヴェル少佐も、それを見越してマシュデールへ撤退したと思われます。

「失礼、通信です。……ええ、了解しました」

一日空けただけあって、敵の砲撃は苛烈の一言でした。

瞬《また》く間《ま》に堡塁の大半は崩落し、防衛部隊も撤退に追い込まれてしまいました。

「どうした？　リトルボス」

「少佐が撤退命令を出しました。二つ目の堡塁も、放棄するみたいです」

このまま堡塁に固執したら全滅させられるので、少佐は後退を指示したみたいです。

それに伴って、自分たちも撤退するよう命令が届きました。

「もう堡塁が落ちたのか」

「我々にも、撤退命令が出ています。これ以上、前線での作業は危険でしょう」

たった一日で、二つ目の堡塁が落とされてしまった事になります。

これで我々に残された防備は、三層目の堡塁とマシュデール城壁のみ。

攻城戦ではいくら防衛側が有利とはいえ、戦力差がありすぎるとこうなってしまうのですね。

「つまり、いよいよ」

「ええ」

二つ目の堡塁が落ちてしまったという事は、間もなくこの場所にも砲撃魔法や銃弾が飛んでくることになります。
急いで医療物資を運び出して、マシュデール市街内に逃げねばなりません。
「マシュデールで市街戦が始まります」
そして三つ目の堡塁が陥落してしまえば。
敵は我々を殲滅《せんめつ》すべく、いよいよこの都市の内部へ乗り込んでくるでしょう。
そして、長い歴史を持つマシュデールの街を焼き払ってしまうのです。
それを止める方法を、この時のオースティン軍部は持っていません。
「……」
それはまさに、猟師と獲物の関係といえたでしょう。
何も対抗することができない無力さを、この時の自分たちは噛みしめていました。
何か奇跡でも起こらないでしょうか。
自分はそんな、あてのない願望を胸に抱きながら街中へ退く事しかできませんでした。

【九月十七日　夕方】
マシュデール防衛戦、七日目。
自分やケイルさんたち若手スタッフが、街の中に撤退してから二日が経過しました。
戦友たちも必死の抵抗を行っていた様子でしたが、多勢に無勢は覆りません。

自分たちも必死で治療を続けましたが、

「全ての堡塁が攻略された」

「……敵はもう、城壁に砲撃を始めたそうだ」

「ああ、この都市は保たない」

この日、最後の堡塁も制圧され、いよいよ市街地に王手がかかりました。

そして、それを正面から迎え撃つだけの戦力なんてどこにもありません。

「負け戦だ————」

それはつまり、我々オースティン軍のマシュデールでの敗北がほぼ確定した事を意味しました。


中央医療本部は、死臭でむせ返っていました。

自分たちが撤退し、前線でのトリアージが行われなくなった結果、大量の死傷者が運び込まれるようになったからです。

予想したとおり溢《あふ》れかえった死体を並べていく余裕はなく、最初は倉庫に放り込んでいたのですが……。

密閉空間に死体が積まれたせいで、作戦本部に糞便《ふんべん》や腐肉の匂いが充満するようになってしまいました。

倉庫には不快な羽虫が湧き始め、げっ歯類が遺体の肉をつまみ、見るに耐えない状況でした。

「死体は、縄で縛って崩れないように積み上げろ」

西部戦線だと、体液は大地に染み込むし腐肉は地中の虫に食われますので、最悪放置していても何とかなります。

しかし、室内に大量の死体を放置するのは想像以上によろしくない判断だったようです。

「戦友の死体は、裏路地をふさぐように積み上げておけ」

「……はい」

「それを板で支えれば、ほら。人の防壁のできあがりだ」

見かねたレンヴェル少佐は、倉庫の死体を運び出すよう命令しました。

そして、彼は死後硬直の始まっている死体を積み上げて、土嚢《どのう》代わりにする指示を出したのです。

「街中に、圧倒的に防壁が足りていない。土嚢なんざ、急に増やせないからな」

「……」

「建物内の脱臭もできるし一石二鳥だ。俺の若いころも、よく味方の死体を盾代わりに被って耐え凌《しの》いだものさ」

少佐の指示で、布でくるまれた死体は無造作に組み上げられ、ヌルヌルと滑る肉の壁へと変貌《へんぼう》しました。

その積んだ死体の陰に隠れ、数名の兵士が外を伺《うかが》っています。

あの中に自分の大切な人がいたらと思うと、胸が張り裂けそうです。

「さて、最終決戦だ。気張れよトウリ一等衛生兵」

「はい、少佐殿」

――そして、誰もいなくなった作戦本部で。

自分はレンヴェル少佐の背後に立ち、静かに街の中を伺っていました。


昨日、最後の堡塁が落ちた瞬間、レンヴェル少佐は非戦闘員の全員の退去を命じました。

クマさんを含めた医療チームのほか、戦闘に耐えない負傷兵、備品運搬など雑用のために残ってくれた民間協力者たちを先に避難させたのです。

なので、この場に残ったのは……。

「アリア少尉。戦況はどうなっている」

「はい、敵魔導兵の砲撃が始まって三時間、一部の城壁が崩落し侵入が可能な状態になっています」

「損害は」

「詳細は不明ですが、それなりに」

「よろしい。城壁を放棄しろ、街中に撤退し遅滞戦闘に移行せよ」

死ぬ覚悟のできている、軍人だけになります。

『ふざけるな、その娘を残して逃げられるか』

案の定というか、自分一人が残されると知った時、クマさんたちは大騒ぎしましたが……。

そこは自分が頭を下げ、納得してもらいました。

『これでも自分は軍人です、四～五日なら徹夜で動けます。自分は、ここに残っても敵から逃げ延びる自信があるのです』

民間協力者であるクマさんたちと、軍人である自分の違いは体力です。

たった半年ではありますが、自分はガーバック小隊長の地獄のしごきに耐え、それなりに鍛えられております。

特に持久走に関しては、小柄《こがら》で体重の軽い自分はかなりのスコアを叩きだしています。

その気になれば数日は走りっぱなしで移動できる自信がありました。

『万が一、少佐に何かあった時のために自分は残らせていただきます』

そしていつものように、自分の役割は救急箱でした。

レンヴェル少佐が負傷した際、自分が治療するために残されたと思われます。

ただし、どこかの小隊長殿と違ってレンヴェル少佐は最後方に鎮座《ちんざ》する役目です。ヤバくなったらいの一番に撤退するでしょう。

きっと、自分の出番は少ないと思われます。

「質問です、少佐殿。遅滞戦闘は、どれほどの時間を稼げば良いと想定しておられますか」

「あと一日で十分だろう。さすがに一週間も時間を稼いだんだ、それで逃げても上は文句を言わんさ」

この時、敵が取るであろう作戦は、複数想定されていました。

敵が取ってくる可能性の高いと思われた作戦は、城壁を確保した後も即座に侵攻してこず、一度街内を砲撃してくる作戦です。

街内を壊滅させることにより、我々にゲリラ戦を仕掛けさせない作戦ですね。サバト軍からして、最も損害が出にくく堅実な作戦です。

敵がこの戦略を取ってくる様子であれば、自分たちは即座に街を明け渡して撤退する手はずでした。

もとより時間稼ぎが目的なので、敵がじっくり砲撃してくれるならもう目標を達成したようなモノなのです。

厄介《やっかい》なのは敵が乗り込んできて、数の暴力で制圧するパターンです。

建物や物資をそのまま奪うため、街内へ砲撃を行わないケースですね。

この場合ですと、今せっせと逃げているクマさんたちのために我々は遅滞戦闘を行わねばなりません。

せっかく今日まで生き残った味方部隊を、使いつぶさねばならないのです。

できれば敵には、時間をかけてじっくり砲撃してもらいたいものです。

「少佐殿、報告です」

サバトの攻撃開始から、半日ほどの時間が経ちました。

「敵が、城壁内に侵入してきました」

「そうか」

希望的観測というものは、えてして当てにならないものです。

その報告が終わるや否や、城壁の方向から激しい銃撃音と雄たけびが聞こえてきました。

「砲撃してくれなかったか……」

残念ながら敵は、城壁を確保して満足せずに市街へと突入してきました。

サバト兵士は、ゲリラ戦をお望みのようです。

「読みが外れてしまいましたね」

「もしかしたら敵さん、もう魔石が残ってないのかもな」

無論、自分たちも敵が突撃する可能性に対し最大限の備えは行っていました。

そこら中に魔法罠《わな》を設置していますし、建物や路地に兵士を隠して迎撃にあたらせています。

ですが、さすがに多勢に無勢。

敵の侵攻を押し止められるとは思っていません。

「少佐殿、すぐ退避されますか」

「……いやいや、ぎりぎりまで粘るぜ。指揮官が最初にトンズラこいたら部下に示しがつかねぇ」

作戦本部は、街の中央部に設置されていました。

火の手や爆発音は遠巻きに聞こえてきており、普通の指揮官であれば逃げる算段を立てる段階でしょう。

「ま、若い嬢ちゃんには悪いけど最悪ここで死んでくれや。ここで稼げた時間がそのまま、オースティンの未来の財産になるんだ」

「無論、いざとなれば命を惜しむつもりはありません」

やはり自分には、レンヴェル少佐が何を考えているかわかりませんでした。

どうやら彼は何らかの確信をもって、このマシュデールで時間を稼いでいる様子でした。

広い作戦本部には、もう殆ど人が残っていません。

戦える者は全て外に出て、配置についております。

今、作戦本部にいるのは、老いたレンヴェル少佐とその護衛二人、そして自分だけでした。

「これでも俺は、昔は猛将として知られてたんだぜ。戦斧《せんぷ》のレンヴェルっつってな、重《じゅう》装騎兵《そうきへい》部隊を率いていたんだ」

「ご勇名は、聞き及んでいます」

「あの時代は良かった、敵から飛んでくる兵器は弓矢と石ころくらいだった。重い鎧《よろい》を纏《まと》ったまま動く事ができれば、それこそ無敵だった」

少佐は自慢げに、昔話を始めました。

軍人は後輩に、武勇伝を聞かせるのが一番楽しい瞬間と聞きます。

黙って聞いておきましょう。

「中でも俺は一等力が強くてな。フルプレートを纏ったまま、この大きな戦斧を振り回す膂力《りょりょく》があった」

「素晴らしいことです」

「あの時代は、それが正義だった。強い奴がまっすぐ突っ込んで、敵を蹴散らしていく。弱い奴は強者の陰に隠れ、一騎打ちを応援するのが役目だった」

そういうと少佐は、壁に立てかけていた戦斧を片手でつかみ上げ、肩に担ぎました。

「銃なんて無粋な武器が出てこなけりゃ、戦争ってのはもっと早く決着したもんだ。敵を蹴散らして、追い詰めて降伏させて、そんでおしまい。今みたいに、十年も穴倉に籠ってチマチマ撃ち合いするなんて考えられやしなかった」

「……」

「しかも銃撃戦で矢面《やおもて》に立つのは、強い奴じゃなく弱い奴だ。新兵が最前線で銃を撃ちあって、俺らみたいな前時代の遺物は後方でふんぞり返って指示を出す。そんなのは、歪《ゆが》んでるだろ」

レンヴェル少佐は、どこか寂しそうな顔で斧を担いだまま歩き出します。

自分と護衛の兵士は、そんな少佐の後を追って歩き出しました。

「上からの命令は、少しでも時間を稼げ、だ。その間にいろいろと外交戦略を整えるんだとか」

「それは。その情報を、自分たちに聞かせてもよいのですか」

「構わんだろう。命を捨てる意味くらい、知っとかなきゃならん」

少佐はカラカラと笑って、自分の頭を撫《な》でました。

「何かを期待させちゃ悪いと思ってな。援軍が来るだとか、起死回生の策があるだとか、そんな希望的な要素はこのマシュデールに何もないんだ」

「……ええ、薄々は察しておりました」

「この都市を抜かれたら、首都まで一直線に侵攻されるからな。俺たちは、首都のお偉いさんが右往左往する時間を稼ぐために死ぬわけよ」

「そうでしたか」

「だが、軍人である以上は逃げてはいかん。どんなアホな命令であろうと、その真意を末端が理解した気になって勝手に行動するのは、軍人として最も恥ずべき行為だからな」

彼の言葉を聞き、自分はやっと少佐の真意が読めてきた気がしました。

「……ま、西部戦線を放棄して逃げた俺に言えた台詞《せりふ》じゃねぇけどよ」

このお方は、何かを狙ってマシュデールで耐久戦をしていたわけではありません。

レンヴェル少佐は政府からの『なんとか時間を稼いでくれ』という懇願《こんがん》を、ただ遵守《じゅんしゅ》していただけなのです。

「衛生兵ってのは、戦場で最も役に立つ兵科だ。歩兵を何人も再生できるお前らは、歩兵の何倍も価値がある」

「……ありがとうございます」

「だから期待してるぜ、トウリ一等衛生兵」

自分は軍人です。

どんなアホな命令に見えても、疑問を持たず命を捨てて実行せねばなりません。

「上の命令どおり、ここで十全に働いて、そして死んでくれ嬢ちゃん。せめて俺は、セコセコ逃げたりしねえからよ」

「……」

「民間人を守るために死ぬのが、軍人の誉《ほま》れだ。派手に命を散らして、この戦争の終焉《しゅうえん》に血の華を添えてやろう」

つまり、自分が残された理由は『クマさんたちを逃がすための時間稼ぎ、捨て駒』。

クマさんは自分を子供扱いしていましたが、少佐は自分を軍人と扱ってくれていたようです。

「同感です、少佐殿」

自分は怖がりです。本音を言えば死にたくないですし、早くここから逃げ出したいと思ってもいます。

ですがそんな自分にとっても、唯一残された肉親のような『戦友』たちを置いて逃げ出す方が、よほど心苦しいです。

「自分はここで死すとも、きっと少佐を怨みはしません」

「そうかい、ありがとな」

「ですが……」

ただ一つだけ。

彼の意見に賛同できないことがあるとすれば、

「自分は何があろうとも、決して生き残ることを諦めるつもりもありません」

「……」

「まだ若い嬢ちゃんですから」

「……だはははっ！　そうか、そりゃそうだ。頑張れよトウリ一等衛生兵！」

多くの命に救われてきた自分の命を、おいそれと投げ出すつもりはありません。

一人でも多くの戦友を助け、戦い抜いて、その上で意気揚々《いきようよう》と撤退して見せます。

それが、自分の選ぶ道です。


「俺たちも出るぞ。応戦しながら、撤退する」

レンヴェル少佐は、後退していく味方と足並みを揃《そろ》えながら撤退を始めました。

先行して逃げない指揮官は珍しいです。これは、きっと彼が昔気質《むかしかたぎ》の指揮官であったからでしょう。

何なら少佐自身も、接敵して斧で戦う気満々のようでした。

「もう負けかけてるのに、指揮官が先陣切って逃げてどうするんだ。敗軍の将だ、どうせ戦後に処刑されるに決まってんのに」

との事です。


マシュデール市街では、既に数多《あまた》の犠牲が出ておりました。

オースティン兵は路上に敵の死骸《しがい》を積み上げながら、勇敢に応戦しています。

しかし撃ち合いにおいて、数は正義です。どんな銃の達人であろうと、二対一の対面で勝てるはずがありません。

少しでも有利な状況を作ろうと、我々は高台から狙撃《そげき》したり細い路地に逃げ込んだりしてゲリラ戦を仕掛けていますが、一人、また一人と戦死していきました。

「少佐、負傷兵です」

「治療してやれ、俺の分の魔力なんぞ残さんで良い！」

レンヴェル少佐は、小隊長と違って積極的に味方へ治療許可を出しました。

「銃を碌《ろく》に扱えん俺が生きるより、若いのが生きて応戦した方がよっぽどマシだ！」

それは、レンヴェル少佐は現代戦の経験があまりに少ないからでしょう。

彼は指揮官です。その仕事は、手に銃をもって塹壕に籠る事ではありません。

「この場においては、斧を振り回すしか脳の無い俺は最も治療優先度が低いのだ！」

きっと少佐はこのマシュデールで討死《うちじに》するつもりだったと思います。

戦後に処刑されるより、戦場で死を選ぶ方が武官として誉れと考えたのでしょう。


我々の命は、時間になります。

政府の要人たちがサバト連邦にゴマを擦り、へりくだり、譲歩を引き出すための交渉時間を捻出《ねんしゅつ》します。

首都がサバトに焼かれれば、その被害者数は凄まじいことになるでしょう。

その悲劇までのカウントダウンを、自分たちは命がけで遅らせているのです。

「うおあああああっ!!　この俺が大将首だ、かかってこい雑兵《ぞうひょう》どもぉ!!」

老いてなお壮健《そうけん》。レンヴェル少佐は、敵兵を見て怯《ひる》むどころか挑発をしています。

全身に鎧を纏い、大きな斧をブンブン振り回し敵を叩き切るその姿は、なるほど前時代の英雄のようでした。

「少佐を討死させるな！　命を懸けて応戦しろ！」

「少佐殿、無茶をされるな！」

その雄姿は、部下の目にどのように映ったのでしょうか。

「少佐は俺たちと、共に命を懸けて戦っているんだぁ!!　その気概《きがい》に応えろぉ！」

少なくとも、自分一人だけ撤退する上官よりは遥《はる》かに頼もしかったに違いありません。

「ぐあ、ああっ！　脚が、ぁああ！」

「っ！　大丈夫です、まだ助かります」

「ちくしょおう、もう少し若ければ！」

しかし、いかに少佐が勇敢であったとはいえ、銃火器の前に斧は無力です。

戦闘開始から一時間ほど、路地裏で斧を振り回していたレンヴェル少佐はついに狙撃され、脚を負傷してしまいました。

「……そのまま、動かないでください」

少佐は、石造りの路上に足を抑えて倒れこんでいました。

その四方八方から、銃声が響いている状況です。

「────【盾《シールド》】」

自分は【盾《シールド》】を張りながら、レンヴェル少佐の足元に屈《かが》み寄って傷を確かめました。

奥には、こちらに向けて銃を構えているサバト兵も見えていました。

今狙われたら、きっと躱《かわ》し切《き》れないでしょう。

「おい、今治療なんぞしたら殺されるぞ！」

「はい、ですのでどうぞお静かに。無駄に時間がかかります」

しかし、自分の最優先の治療対象は現状レンヴェル少佐です。

彼が生き延びることで、兵士の士気がどれだけ保たれるかわかりません。

彼にガーバック小隊長のようなアホみたいな強さはありませんが、この絶望的な状況における兵たちの精神的支柱として、これ以上ない役割を担っています。

「【癒《ヒール》】、これで血は止まります。どうぞ、早く立ち上がってください」

「す、すまん、不甲斐《ふがい》ない……」

「大丈夫です」

回復魔法を行使した直後、凄まじい銃声が轟《とどろ》きました。

しかし幸いにも、銃弾が少佐を打ち抜くことはありませんでした。

彼はすぐさま立ち上がり、多少ふらつきながら壁の裏へ走って逃げて行きます。

念のため設置しておいた【盾《シールド》】のお蔭《かげ》でしょうか。

この呪文を教えてくれた小隊長とゲールさんには感謝です。

「……あれ？」

レンヴェル少佐が立ち上がったのを確認し、自分も撤退を再開しようと膝を立てた瞬間。

激しい眩暈《めまい》に襲われ、自分は思わず地面に手をついてしまいました。

「……」

足が鉛のように重たく、下腹部が焼けるように重いです。

ジンジンと、ズキズキと、拍動する激痛が身体を蝕《むしば》みます。

「おい、トウリ一等衛生兵っ……！」

「少佐、お気になさらず。早く撤退してください」

額《ひたい》に、冷や汗が伝います。

ゆっくりと視線をおろせば、自分は腹を撃ち抜かれてボトボト血を零《こぼ》していることに気がつきました。

「少佐殿」

「……っ、すまん！」

それを自覚した瞬間、もう立ってなどいられません。

グラリと、貧血でも起こした時のように地べたに身体が叩きつけられました。

じんわりと、腹から赤い液体が広がっていきます。

「撃たれたのは、自分、でしたか」

そうです。今まで自分が戦場で生き延びてこられたのは、あの凄まじい戦闘力の小隊長殿にお守りをされてきたからなのです。

彼の守りが無い今、こんなだだっ広い場所で隙《すき》を晒せばこうなってしまって当然です。

「すまんっ……!!」

目線を上げた先に、壁の裏へと消えるレンヴェル少佐の姿が見えました。

自分を見捨て、逃げ延びる決断をしてくれたようです。

命を張った甲斐がありました。

「……」

そのまま、自分は全身の力を抜いて。

迫《せま》りくる、敵兵の軍靴《ぐんか》の響きに身を任せることにしたのでした。

一九三八年　夏　8

TSMedic's Battlefield Diary

私は数時間ほど、修道女から話を聞く事ができた。

修道女はパラパラとトウリ氏の日記をめくりながら、生々しくも苛烈《かれつ》な戦争体験を語ってくれた。

シルフ攻勢の時、サバト兵がゲーム感覚で民間人を虐殺《ぎゃくさつ》していったこと。

目の前で孤児仲間を殺される中、彼女だけは隠れ抜いて生き延びた事。

修道女の言葉には、その時代を経験した人にしか知り得ない「重み」があった。

「この日記が書かれた時代、そんな事が起きていたんですね」

「ええ」

私は夢中になって修道女の話を聞いた。

シルフ攻勢当時の話を生で聞けるのは、歴史好きな私にとって何にも代えがたいご褒美だった。

「あらごめんなさい、そろそろお祈りの時間が来てしまったわ。子供たちに声をかけないと」

「もうそんな時間ですか」

「熱心に聞いてくれて嬉《うれ》しかったわ。今日は泊《とま》っていかれるでしょう、セドルさん？」

「いいえ。今夜は、マシュデールに宿を取っていますので」

宿泊を提案されたが、私はいきなり押しかけておいて宿を世話になるほど厚かましくなかった。

まだ日は高いが、私は修道女に一礼し帰り支度を始めた。

「マシュデールまで、結構距離がありますよ？　暗くなったら危ないです」

「大丈夫、馬を借りているのでご心配なく」

「そうでしたか」

ノエルは辺鄙《へんぴ》な田舎町《いなかまち》だ。

鉄道は通っておらず、定期的に行き来する馬車などもない。

だから私は、マシュデールで馬を借りていた。

今日中に返さなければ、余計な金をとられてしまう。

「もう少し彼女の日記を読みたかったのですけどね。……不躾《ぶしつけ》な事を申しますが、譲っていただけたりはしないでしょうか」

「すみませんが、私もまだ読み切れていないのです。いずれまた、持ってきますので」

「そうでしたか。残念です」

馬貸しのオヤジは、少し面倒くさそうな性格だった。

ここからマシュデールまで馬で二時間前後、日が落ちるギリギリの時刻になりそうだ。

「ああ、そうだ。では最後にあの場所だけ、案内しておきましょう」

「あの場所、ですか」

「ええ。せっかくノエルに来てくださったんですもの」

日記を鞄《かばん》にしまい、さあ出発だというところで。

修道女はポンと手を叩《たた》いて、孤児院の庭の方を指さした。

「トウリ姉《ねえ》も、貴方《あなた》を待っていると思いますよ」

修道女の指した方向を見ると、そこには無数の十字架が均等に突き刺さっていて。

周囲には色鮮やかな花が、たくさん植えられていた。

「────墓地」

「ええ。せっかくですもの、お参りしていくでしょう?」

その修道女の言葉に、私の心臓がドキンと鼓動を鳴らした。


『トウリ・ノエル』

その墓には傷だらけのドッグタグがかけられていた。

錆《さ》びている上、無数の傷がついていて文字が読みにくくなっていたが……。

かすかにトウリという文字は読み取れた。

「彼女の没年は、シルフ攻勢の翌年だそうです」

そして私は、

「トウリ姉の遺体は見つかってないので、お墓は空っぽなんです。ドッグタグは見つかれど、周囲の遺体の損壊が激しすぎて、どれが彼女かわからずじまい」

「……そんな有り様《さま》だったんですか」

「行方《ゆくえ》不明者は、半年経った時点で死亡と判定されるんです。没年こそ翌年になってますけど、実際はシルフ攻勢の時に死んでしまったのだと思いますよ」

この日記の主《あるじ》が、亡くなった年を知った。

マシュデール撤退戦 1

TSMedic's Battlefield Diary

【九月十七日　夕方】

この世界の捕虜《ほりょ》の扱いは、どのようなものでしょうか。

捕虜に暴行してはいけないなど、人道的な配慮《はいりょ》はされるのでしょうか。

……少なくとも自分は、そういった捕虜の扱いに言及した条約を聞いたことはありません。


敵につかまったが最後、生殺与奪は敵の思うがまま。

憎しみのまま嬲《なぶ》られ、殺されてしまうでしょう。

あるいは女性捕虜として、そういう扱いで生かされる可能性もあるやもしれません。

いずれにせよろくなことにならないのは明白でした。


「……ひゅー、……ひゅー」

息が重くか細くなり、口に血の味が滲《にじ》んできました。

そもそも自分は撃たれているので、敵に殺される前に死んでしまう可能性も高いです。

何か処置をしないと、このままでは自分は失血死してしまうでしょう。

しかし魔導士《まどうし》が魔法を行使するのは、基本的に敵対行動です。

回復魔法を発動した瞬間、銃で頭を吹っ飛ばされても文句は言えません。

言語も通じないため、前もって釈明《しゃくめい》する事も困難です

「[redacted]っ!!」

「[redacted]」

「■■■■■■■っ！」

彼らはがなり声で、自分を指差して叫びました。

聞いたことのない異国の言語。何を話しているのでしょうか、まったく見当もつきません。

しかしそれが、友好的な態度ではないことは明らかです。

じんわりと腹部が痛み、息が苦しくなってきます。

ですが敵対の意思を示さぬためにも、魔法を使う訳にはいきません。

脂汗《あぶらあせ》が唇を伝い、血飛沫《ちしぶき》が腹を冷やし、鈍痛《どんつう》が脳を焼きました。

「■■■■！」

「……」

やがて彼らは、そんな横たわる自分に真っすぐ走ってきて。

「■■■■■■■ォー！！！」

自分を無視して、レンヴェル少佐を追っかけて走っていきました。

……。

「はぁ、はぁ……っ、【癒《ヒール》】」

敵が走り去ったのを確認し、自分は民家に転がり込みました。

そして周囲に気を配《くば》りながら、回復魔法で傷を治していきました。

「……、……！」

幸いにも銃弾は腹部を貫通しているようでした。摘出は必要ありません。

ただ大きな血管を傷つけていたようで、血抜きをしたらドス黒い凝血塊《ぎょうけつかい》がボトボト落ちてきました。

……かなり失血がひどいですね。だからこそ、捨て置かれたのでしょうけど。

「……っぐ、はぁ、はぁ」

そしてこの感じ、間違いなく腹膜炎《ふくまくえん》を起こしています。

本音を言えば腹腔《ふくくう》内洗浄をしたいところですが、手術なんてしたら痛みで気を失うでしょうね。

漫画では自分の手術を自分でする天才外科医もいましたが、自分には無理そうです。

自分は凡人らしく、回復魔法を重ね掛けして無理やり応急処置を行いました。

「ふぅ。落ち着きましたか」

応急処置を終えた後は、持っていた秘薬と生食を全て飲み干しました。

水分補給と、覚せい剤成分による鎮痛目的です。ついでに、魔力も回復します。

「血も、止まってきましたか」

自分はそのまま、数十分ほど民家で休憩しました。

家主さんに内心で謝りつつ、ベッドシーツを切って包帯替わりに使わせていただきました。

これで、できる処置は全て行ったでしょう。

窓の外はそこかしこで火の手が上がり、銃声と足音が木霊《こだま》していました。

「外は……」

自分はここから、敵兵に見つからず後方まで脱出せねばなりません。

そのためにはまず、走れる程度には回復する必要があるでしょう。

小柄な体躯《たいく》を利用し、隠れて移動すれば何とかなるかもしれません。

今、この市街は全域でゲリラ戦が行われています。その混乱に乗じて、上手《うま》く撤退するのです。

「■■■■■■■■■っ!!」

耳を澄ませていたら、突然すぐ近くで敵の怒声が聞こえました。

どうやらすぐ外に、敵がいる様子です。

「■■■■っ」

「や、やめてくれ。た、助けてくれぇ……」

息を潜《ひそ》めて様子を伺《うかが》うと、命乞いをする味方兵士の声が聞こえてきました。

どうやら敵に見つかって、命乞いをしている様子です。

……味方の兵士には悪いですが、銃すら持たぬ自分にできることは何もありません。

ここは、彼らが立ち去るまで身を潜めていましょう。

「■■■■」

「なにとぞ、なにとぞ、へへへ。ほら、靴も舐《な》めます、えへへ」

幸運な事に、彼は殺されず捕虜にしてもらえそうな雰囲気でした。

プライドを捨てても生き延びようとするその姿勢には、少し敬意を覚えます。

どうか、助かってくれればよいのですが。

「と見せかけて！　隙《すき》あり脱出ぅー!!」

「[redacted]!!」

「ばーかばーか、誰が捕まるか！　拷問とか大嫌いなんだよ俺はぁああ!!」

そんなことをぼんやり考えていた、直後。

垂れ目の情けない顔の男が、自分が隠れていた家屋の窓へ突っ込んできました。

「あんぎゃあああ!!　痛ぁああ!!」

そして窓枠に足を引っかけ、無様《ぶざま》に床で顔面を強打しました。

鼻血がダクダクと流れ、床を汚しています。

……。

「[redacted]！」

「ひやあああ!!　違うんですごめんなさい、これは逃げようとしたわけじゃないんです！」

逃亡に失敗したその味方兵は、即座に小銃を突きつけられて両手を上げました。

そして媚《こ》びるような表情で、敵兵たちに向かってヘコヘコ土下座を始めます。

……欠片《かけら》も、プライドが残っていませんね。

「……お？」

「……」

幸いにもこの時、自分は敵兵の目からは死角になって気づかれていませんでした。

しかしプライドの無い彼は、壁越しに息をひそめて隠れている自分に気がつきました。

じぃぃぃ、と彼は自分に視線を集中します。

そんなに見ないでください、自分まで気づかれてしまうでしょう。

どうか、ここは知らないふりをしていただけると……。

「旦那、旦那、そこの壁の裏!!　人が隠れていますぜ、ソコに!!」

その兵士は自分の存在に気づくや否や、大袈裟《おおげさ》に自分を指さして騒ぎ始めました。

……。

「ほら、アレですよ！　俺は、何かこの家屋が怪しいと思ったんすよ！　ホラ、敵がいた！　隠れてた！　誉《ほ》めてください旦那ぁ！」

「……」

「■■■■？　……」

「……」

まもなく、敵兵さんは自分の方を覗《のぞ》き込《こ》みました。

そして、バッチリ目が合ってしまいます。

「[redacted]」

「……はい」

異国の言葉が分からないので何を言われているのか知りませんけど、銃を突きつけられたので自分は手を挙げて立ち上がりました。

この男……。味方を庇《かば》うとかそういうのは一切ないようです。

「おいガキんちょ、奴《やっこ》さん壁に向かって立てってさ」

「はい」

自分はそのまま、指示に従って両手を上げて壁に向かって立ちました。

背後には、銃を構えるサバト兵が数名いるようです。

「[redacted]」

「へ、へい。わかってますって」

プライドの無い彼は、敵の言葉を理解できているみたいでした。

彼は手に持っていた物を全て地面に置いて、装備を外し始めました。

自分たちは、このまま捕虜にされるようです。

「[redacted]っ！」

「……え、えっと？」

「わああ、何をボーっとしてる、旦那を刺激すんなよガキんちょ！　武装解除しろって言ってんの、服も含めて全部脱げ！」

「は、はい！」

サバト兵に銃を突きつけられ怒鳴られて、自分は慌てて服を脱ぎ始めました。

捕虜は武装解除、そりゃあそうです。ただ、言葉が分かるなら自分にも教えてください。

……にしても、武装解除ですか。

「はい、脱ぎましたぁ!!　これでどうか、命だけはお助けを！」

「……」

そうなると全裸ですよね、やっぱり。

自分も殺されたくはないので、おとなしく彼同様に服を全て脱いでサバト兵たちに背中を向けたまま手を上げました。

……ああ、死ぬほど嫌な予感がします。

「■■■■■」

「……」

女性兵士の捕虜、って実際はどんな感じに扱われるんでしょうか。

本当にそういう感じになるのなら、ある意味生き残れるのでありがたいのですが。

「■■■……」

ガクガク震えながら立っていると、敵の男性兵士は、当然のように自分の身体を触ってきました。

というか胸ですね。かなり強い手つきで、揉《も》みしだいています。

「[redacted]？」

……やはり、そうなるのですか。

解放してもらえるまで、しばらく嫌な思いをすることになりそうです。

もしかしたら終戦後も、そういう奴隷として扱われる可能性も――――。

「おい、旦那がお前の性別聞いてるぞガキんちょ。男か女かどっちだって」

「……女性ですけど」

「えっと、……。[redacted]ってさ！」

「[redacted]！」

敵兵士は意外そうな、そして納得した顔で自分を見つめました。

彼は自分の性別を確認するために、胸を触ったようです。

しかもさっきまで、胸を触った後も微妙な表情で自分の顔を見ていましたね。

「[redacted]！」

……性別を申告しても敵は納得せず、自分は取り調べられることになりました。

自分は大勢の男性の前で、屈辱的な手段で性別を確認されました。

何とか平静を取り繕いましたが、色んな感情がごちゃまぜになりました。

「ほらほら旦那、今はここには誰もいませんよ。人の目なんてないんです」

「[redacted]？」

「いいじゃないですか、こんなところで命がけに戦わなくても。ちょっと楽しんで行きゃどうです？　ほらほら、よくみれば可愛《かわい》いでしょうコイツ」

身体を改められた動揺と憔悴《しょうすい》で呆然《ぼうぜん》自失していると、全裸の味方兵士は手を揉んで敵兵に媚び始めました。

……さっきから、この男は何なのでしょうか。

味方のはずなのに、自分に敵兵の関心の矛先をそらすことしか考えていないように見えます。

その気持ちを理解できなくはないですが……。

「[redacted]」

「ええ、多分処女っすよ。なぁ！」

「……」

怒ってもいいですよね、自分。

「[redacted]」

敵の兵士はニヤっと笑うと、自分の身体を床に押し倒しました。

……本当にその気になってしまったみたいですね。

「[redacted]っ！」

「[redacted]」

そのまま敵兵が数名ほど、自分の周囲に集ってきます。

こうなってしまえば、仕方ありません。

自分は瞼《まぶた》を閉じ、唇を真一文字に結んで黙り込みました。

命だけでも助けてもらえるよう、従順に振る舞うとしましょう。

「……えへへ、そうですそうです。戦場でもネ、こういう娯楽は必要ですよネ、げへへ」

「■■……」

そして、自分をこんな窮地へと追い込んだ男はといえば、

「……チャーンス!!　今だぁぁぁ！！！」

自分が男に群がられている合間に、脱兎《だっと》のごとく部屋から逃げ出していきました。

「■■!?」

「きゃっほぉぉう!!」

それも、全裸で。

「……えー」

「……■ー」

これには自分のみならず、敵兵も呆れた声を出しました。

多分、この時の敵兵さんと自分の気持ちは全く一緒だったでしょう。

「……」

「……」

人間は、呆れるという感情が上限突破すると絶句するんですね。

自分より年下であろう女の子の貞操《ていそう》を餌《えさ》に、よくぞそこまでできるもんです。

「……」

テンションが下がったのか、敵兵は銃を突きつけたまま、無言で自分から離れていきました。

若干、憐《あわ》れむような表情がその顔に浮かんでいます。

……。よし。

「……ええ、ぇん」

「！」

ここは一丁、泣いてみましょう。

敵兵士たちは彼に呆れて自分に乱暴しなかったあたり、最低限くらいの情はありそうです。

そして自分の幼い容姿は、こういう場合に武器になります。

外見を利用し、プライドを捨てて情に訴えかけ、命乞いをしましょう。

「……、……？」

「えーん、えん」

ポロポロと、自分はその場でしゃくり上げながら涙を溢《こぼ》し始めました。

因《ちな》みにこれは泣き真似《まね》とかじゃありません。実際泣きたいから泣いています。

さっきから堪《こら》えていただけで、ずっと泣きたかったですし。

「[redacted]、[redacted]」

こちらの狙いどおり、敵兵士はかなりバツの悪そうな顔をしました。

そうです、その罪悪感を大事にしてください。

そしてできれば、今後自分を捕虜として丁重に扱って貰《もら》いたいです。

「■■■」

やがて敵兵たちは、その辺に落ちてた布切れを自分に一枚渡してくれました。

先ほど、自分が包帯を作ろうと切り刻んだシーツの残りですね。

自分はありがたくソレを受け取って、しゃくり上げながら部屋の隅でシーツにくるまりました。

「■■?」

「■■■■……」

兵士たちは自分の処遇に悩み、話し合いを始めたようです。モラルのある敵兵で助かりました。

サバト兵は非戦闘員だろうと気にせず惨殺すると噂《うわさ》で聞いていましたが……。

敵もまた、人間。情が無いはずがないのです。

「……■■■」

とはいえ、まだ油断はできません。

捕虜として拘束する手間を考え、自分を殺して前進するという判断もあり得ます。

気を抜かず、自分の命を最優先に動きましょう。

ポロポロ泣きながらも、内心でそんな事を冷静に考えていた折でした。


ころん、ころん、と。

突然に窓から、丸い何かが投げ込まれてきたのは。


――え、手榴弾《しゅりゅうだん》？


「シ、シ、【盾《シールド》】！」

その金属音が鳴り響いた瞬間、自分は反射的に【盾《シールド》】を出した後、頭を反対側にして床に伏せました。

手榴弾の恐怖は身に染みています。

何度も何度も、この恐ろしい兵器には煮え湯を飲まされてきたのです。

「■■■!?」

「……■■!!」

自分が伏せた直後、敵兵たちの動揺した気配を感じて。

男たちが動揺した声を上げ、サバト語の罵声が響く中。

――凄《すさ》まじい炸裂《さくれつ》音と共に、部屋が爆風に包まれました。

「えっほ！　えっほ！」

幸いにも、自分はその爆風の中を生き延びることができました。

【盾《シールド》】のお陰で、爆風を逸《そ》らせたからです。軽い火傷で済みました。

しかし、直撃を食らった敵兵たちは駄目でしょう。

爆心でしたし、見るも無惨《むざん》な事になっていると思われます。

「……けほ、けほ」

にしてもいったい、どこの兵士でしょうか。

いきなり、敵兵が何人も残っている家屋に手榴弾を投げ込むなんて。

乱暴にも程《ほど》があります……。

「ふぅー！　へへへ、ざまぁ見やがれこの雑魚《ざこ》ども！　俺の荷物返してもらうぜ、あーっはっは！」

……。

「それと、誰か知らないけど俺のために犠牲になってくれたガキんちょにも敬礼！　いやあ、最高の囮《おとり》だったぜ」

「……」

「クソガキのくせに一丁前に恥ずかしがってたお陰で、アホ共を焚《た》きつけるのも楽だった。そのままあの世で乱交でもしてろ、あーっはっは……」

「…………」

「……あっ」

…………そのまま高笑いして部屋に入ってきた彼は、大層冷たい目をしていただろう自分と目が合いました。

「……ふぅ、嬢ちゃん。無事だったか、俺の計算どおりだぜ」

「……」

「いろいろと酷《ひど》いことを言ったが、どうか許してくれ、あの場を乗りきって二人とも助かるにはああ言うしか無かったんだ」

「…………」

「ま、そう気にするな。子供を守るのは大人の務めってな。命を救われたからといって、あまり恩に感じる必要はないぜ」

「…………」

命の恩、ですか。

……そもそも、お前が自分を巻き込まなければ命の危機には陥らなかったのですが。

「ま、まぁ取り敢《あ》えず服を着ようぜ相棒。こんな姿で二人だと変な誤解をされちまう」

「……」

「さあ、軍服を……げ、げげ！　俺の装備が焦げてる！　服も！」

「……」

……。

「いやー、この家の人が古着残してくれてて助かったな！」

手榴弾の威力を知らなかった男のせいで、自分たちは所持品なしの全裸になりました。

その後、二人でなんとか家捜しを行い衣類は確保できました。

「……あの状況で手榴弾なんて、よく隠し持てましたね」

「いいや？　丁度、外に味方の死体が転がってたから拝借した。いやー助かったぜ」

この男が投げ込んだ手榴弾は敵兵が装備していた手榴弾にも誘爆し、凄まじい爆発を引き起こしました。

その激しさは部屋全体を焼き尽くすほどで、石造りの家でなければ大火事になっていたと思われます。

幸いにも自分は部屋の隅で屈んでいて、かつ咄嗟《とっさ》に【盾《シールド》】の呪文を出していたお陰で直接爆風を浴びずには済みました。

しかしほぼ真ッ裸だったせいで、髪がチリチリ焦げてしまいましたし、身体中が火傷で痛いです。

「……貴重な物資が」

それほどの火力だったので、自分が装備していた物資は使い物にならなくなっていました。

リュック中の瓶は衝撃で割れぐちゃぐちゃになっていますし、包帯やガーゼはボウボウと現在進行形で燃えています。

「……」

医療資源を失えば、自分は回復魔法を使える一般人に成り下がります。

その回復魔法の使用回数も、手持ちの魔力からして後一回使えるかどうか、でしょうか。

「うん、その姿だと完全に逃げ遅れた民間人だ。よし、これで逃げるぞぉ！」

「……」

こうなったら仕方がないので、せめて民間人に見えるよう自分は少女服を借りました。

白の無地で、埃《ほこり》を被ったワンピースです。子供服らしく、小柄な自分が着ても少し窮《きゅう》屈《くつ》なサイズです。

「おい、この拳銃はまだ使えるっぽいぜ。ほら、やるよ」

「……どうも」

男は農民の作業服のような姿に着替え、敵の死体を漁《あさ》り拳銃を手渡してきました。

彼は外の味方の死体から小銃をくすねてきたようで、フル装備になっています。

「……」

自分は受け取った敵の拳銃をスカートの中に隠し、見た目は民間人の少女へ擬《ぎ》態《たい》しました。

この方が、生存率は高いでしょう。

「ああそうだ、自己紹介をしておかないとな。俺はゴムージ、階級こそは二等歩兵だが実際のところはエースみたいなもんだ」

「……はあ」

「相棒、ガーバック小隊って知ってるか？　そう、泣く子も黙るうちの戦線のエース部隊！　何を隠そう、俺はそのガーバック小隊の裏エースなのさ！」

プライドの無いこの男は、ゴムージというそうでした。

彼はガーバック小隊のメンバーを名乗りましたが、自分はこの男の顔を見たことがありません。

……虚言癖もあるのでしょうか？

「裏エースとは？」

「俺は小隊で唯一、ガーバック小隊長の背中を任された人間なのさ。部隊に所属してまだ一日だが、小隊長には分かってたんだろうな。俺の真の実力ってヤツが」

「……」

「小隊長殿は開口一番、俺に背中を任せるといった。つまり俺とガーバックは、背中を預けあった戦友同士ってワケ。まぁ、何でも分からないことがあれば俺に聞いて良いぜ？　この戦線の裏エース様が、何でも答えてやるからよ！」

「……」

ああ、なるほど。

こいつは、自分が抜けた後にマシュデールでガーバック小隊に配属されたのですね。

そして二等兵なので、ガーバック小隊長の背中で守られている、と。

「それで、お前の名前は？」

「はい。自分は医療本部を統括しておりました、トウリ・ノエル一等衛生兵です」

「ほー、衛生兵さんか。どうりで武器を持ってなかったワケだ！」

「一等、衛生兵です」

「……」

「貴方《あなた》の階級と所属を、もう一度復唱してください。ゴムージ二等兵」

……この人、大きな口を叩《たた》いておいて自分より階級が下の新兵じゃないですか。

「あー、と。君《きみ》、年は幾つ？　俺よりは年下に見え……」

「軍において年齢は重要ではありません。階級が上の相手には、最低限敬語を使うべきと思います、ゴムージ二等兵」

「……あ、あははー！」

ゴムージは、自分の詰問をヘラヘラ笑って誤魔化《ごまか》しました。

もしかして彼は、マシュデールで徴用された兵士とかなのでしょうか？

この態度、とても西部戦線あがりには見えません。

「ま、ま、そんな事は置いておこう。俺たちは運命共同体、ここから脱出して味方と合流しないとさっきみたいにとんでもない目に遭うかもしれないワケ！」

「……はあ」

「ま、大船に乗った気持ちで俺に任せてくれ。衛生兵じゃ、前線のあれこれなんてわからないだろう？　この戦線の裏エースの力、見せてやるよ」

ゴムージはそういうと自信満々に腕を組みます。

「お嬢ちゃんは実に幸運だぜ。この俺に守ってもらえるんだからな！」

……。

「いえ、結構です。二手に分かれて行動しましょう」

「何でぇ⁉」

自分は彼の提案を、真顔で拒否しました。

当り前でしょう、作戦行動において信用できない味方は敵より質《たち》が悪いものです。

そして、言わずもがなこの男は一切信用なりません。自分が生き延びるためなら平気で人を使い捨てるでしょう。

「どうして、こんな危ない場所なんだから力を合わせて――」

「先ほどのご自身の行動を思い返してください。どうせ、また自分を囮にする心積もりでしょう」

「えうっ！　あ、あれは誤解だ、俺は最初から君を助けるつもりで――」

「それに、民間人に偽装するなら私服姿の自分一人の方が都合がいいです。より、兵士と思われにくい」

「この薄情者！　自分一人助かればそれでいいってか⁉　お前は最低の人間だ‼」

「……」

……。

「なので、自分はこれで失礼します」

「ああいや悪かった。言い過ぎたごめん、だからやめてくれ、頼む、一人にしないで」

「この戦線の裏エース様なんでしょう。ご自身の力で脱出してはどうです、ガーバック小隊長殿ならそれくらいやって見せますよ」

「きょ、今日は本調子じゃないんだ……」

自分が本気で彼と別行動をしようとしているのを察したのか、今度はゴムージは自分の足元に泣きついてきました。

胡散臭《うさんくさ》い目で、自分は彼を睨《にら》みつけます。

その心の奥底を、見透かすように。

――こんなに良い釣《つ》り餌を、逃がしてたまるか。

――衛生兵だ、回復要員だ。

――このガキを従えれば、生き延びる可能性がぐっと増えるぜ。

「申し訳ありませんが、自分はお前を信用できません。拒否します」

「そこを何とか。さっき、生まれたままの姿……裸を見せ合った仲じゃないか！　なあ相棒」

「今後二度と、その表現を使わないでください。虫唾《むしず》が走ります」

男の目には、自分勝手な願望しか浮かんでいませんでした。

彼はしつこく、自分についてきてほしいと懇願《こんがん》を続けます。

その姿に、プライドは見当たりません。

……自分には、こんな男と共に行動をするメリットを思いつきませんでした。

「俺でよければ、生き残ったあかつきに何でも言うことを聞いてやるから。ほら、金でもお菓子でも何でも言ってみろ？」

「……」

自分の言うことを一切聞かない、チームメンバー。

その仲間は好き放題、自分のやりたいことを勝手にやるだけ。

そんな仲間と共に、生きるか死ぬかの戦場を走るなんて――。

『凄い活躍だ！　さすがは神！　圧倒的なキルレートで、堂々の一位に君臨！』


……。

『ここで敢えて前に出るか、なんて度胸だ！　その作戦が見事に裏を掻《か》いた――』

……そんな経験を、どこかでやった事があったような。

「では、自分が指揮権を預かります」

「へ？」

あまりにゴムージがしつこいので、自分は諦めて彼の同行を許可することにしました。

このままゴムージに足止めされていたら、自分の脱出も遅れてしまいます。

死ぬほど面倒くさいですが、彼も同行させましょう。

「え、指揮権？」

「そうです、ゴムージ二等兵。お前は、上官である自分の命令に一切拒否する権利を持ちません」

「……いや、それは。衛生兵に前線指揮ができるわけ無いだろ。後方に引きこもってばっかのくせに」

「自分は前線衛生兵です。半年ほどずっと、ガーバック小隊に所属しております。お前にとっては、小隊の先輩でもあります」

「え」

まぁ、この男が本当にガーバック小隊だったら、ですけど。

「ゴムージ、自分はお前を信用していません。なのでお前の指揮に従うのは論外です、拒否します」

「うぅ……」

「選んで下さい。別行動をするか、自分の指揮下に入るか」

「……はいはい、わかった、わかりましたよ。従う従う、これでオーケー？」

「了解しました。お前の命を不本意ながら預かります」

ゴムージは渋々恭順《きょうじゅん》の意を示しましたが、どうもその目は納得しているように思えません。

いざとなったら、見捨てて囮にする算段でも立てているのでしょう。

まぁ、それならそれで構いません。最初から、そういうものとして扱います。

「では、まず絶対に守ってもらいたいルールを説明します」

「あいあい」

「一つ。敵に見つからないよう、常に隠れて移動すること」

「ま、そりゃそうだ」

なので自分は、最低限彼に足を引っ張られてもリカバリーが利くようにルールを設けました。

敵から隠れて行動する。これは当たり前ですが、敵との戦闘が少ないに越したことはありません。

「二つ。自分が退《ひ》けといったら、絶対に退くこと。これに従わない場合は、見捨てます」

「……はあ」

そして指揮を預かると言った以上、彼の命は自分の責任下にあります。

自分の指揮に従っている限り、自分は彼を最大限助けるように行動せねばなりません。

「そして、三つ」

……そう、自分は彼を守らねばならないのです。

どんなに腹の立つ男でも、それが同じチームのメンバーであるならば。

そしてその『無茶苦茶な仲間』を上手にコントロールしつつ、時に悪態を吐《つ》いたり、時に煽《あお》ったりしながら、最高のパフォーマンスを引き出して勝利に導く――――。

「これが一番重要なルールですが」

「お、おう」

――――しかし。これは本当に、使って良い技術なのでしょうか？


『あ、ボイチャしてる方ですか？　ヨロでーす』

『ええ、どうもよろしくお願いします』

どこかで誰かの、声がしました。

それは遠い昔の、懐かしく楽し気な男たちの声です。

『って、●●さん!?　このＩＤ、本物ですか？』

『ええ、まあ』

『うっほ！　凄い、同チーム感謝です。世界覇者と組めるなんて光栄ッス！』

『まあ、気負わず楽しくやりましょう』

自分は、これを知っています。

これは他愛《たわい》ない、遊びの中の会話です。

命のやり取りどころか、人の死体すらろくに見た事の無い平和な世界の『戦争遊び』。

『ていうか俺、●●さんの指示に従いますよ！　勉強させてもらいます！』

『はは、そう言ってくれるなら幾つかお願いさせてもらいましょうか』

そのお遊戯の世界で、自分はかつて――――。

『じゃあ三つだけ、良いですか』

『神のプレイを間近で見れるんです、お安い御用ッスよ』


――――神と、呼ばれていました。


『一つ、余計な戦闘は避ける事。寒いプレイかもしれませんが、俺は常に勝ちに行ってますんで』

『リョっす』

自分には、そのゲームにおいて凄まじい才能があったのです。

視界の端にチラリと映る敵を見逃さない、視野の広さ。

気づいてからの行動が早く、正確無比なエイムを行える技術。

そして、

『後、俺が退くって言ったら従ってください。たとえ、勝てそうな盤面でも絶対に』

『うス』

このまま戦っていたら『ヤバい』事を誰より早く感じられる、危機察知能力です。敵が近づいてきているような感覚、敵に狙われているような気配、そのような『脅威』を察知する能力は自分の最大の取り柄といえました。

だからこそ、サバイバル系のＦＰＳは自分の最も得意とする分野だったのです。

『そして、最後ですけど……』

『はい、何です？』

そしてＦＰＳゲームにおける鉄則、それは多対一では決して勝てないという事。

自分一人が生き残って、周囲のプレイヤーを全滅させられるなんて夢物語はありません。的も分散しますしダメージ効率が違いすぎるので、二対一で撃ち合いになった時点で負けなのです。

だからこそ、たとえどんなに無能な仲間であっても誉めて煽《おだ》てて、失わないように立ち回らなければなりません。

『お前は――――』

「――――瀕死《ひんし》になっても捨《あき》てゲ《ら》ーし《め》ないでください」

戦争ゲーム、なんてものは現実の戦争とまったく別の遊びです。

そんなゲームの世界の経験を、現実の戦争に利用しようだなんて頭の悪い事この上ありません。

「生きてさえいれば、自分が運《キャリー》んで《して》やります」

しかし、自分にはこの世界において小隊指揮の経験なんてありません。

今の自分が頼るべき手管《てくだ》は、あの能天気な戦争ゲームの中にしか無いのです。

「は?」

「分かりましたね、ゴムージ」

思い出しましょう。あのゲームで自分は、どんな事を考えながら動いていたか。

索敵《さくてき》、隠密《おんみつ》、移動プラン、射線管理、弾薬補充、装備拡張――。

あの能天気なゲームの中から使える情報、使えない情報を取捨選択して現実に昇華させていくのです。

――言いようの無い、かつてよく感じた悪寒《おかん》。

まもなく、この家に敵部隊が様子を窺《うかが》いに来そうな気がします。

あれほど大きな爆発があったのです、そりゃあ様子を窺いに来るでしょう。

この家屋に逃げ込む前の、風景を思い出さないと。どの窓から脱出すれば、見つからずに裏路地を進むことができるでしょうか。

敵が侵入してくるとしたら、どこから?　やはり、自分たちも侵入に使った窓からでしょうか?

……。

「ん、そろそろ敵がきそうですね。この部屋と反対側の、台所付近の窓から脱出しましょう。そのまま、路地に入ります」

「は、はあ。わざわざ台所から出るのか？」

「それ以外のルートですと、捕捉されて殺されます」

太腿《ふともも》に縛りつけた拳銃が、冷たく皮膚《ひふ》を擦ります。

これは、お守り。今までロクに銃を撃ったことのない自分が、実戦でいきなり狙い《エイム》を定められるとは思えません。

現在の最大目標は、一度も戦闘せず無事に味方の防衛ラインまで撤退し、合流する事。

一度でも正面戦闘になったら、それは敗北と同義です。勝てる訳がありません。

「……」

「お、おいトウリ一等衛生兵殿？」

マップも無ければ、落ちてるアイテムや蘇生《そせい》スポットもない、そこら中に死体が転がる本物の戦場で。

自分は生まれて初めて、誰かを従え自己判断だけで戦闘行動を行うことになりました。

自分は臆病《おくびょう》者です。

殺意に溢《あふ》れた敵に囲まれたこの状況で、無事に味方のもとまで逃げ延びるなど恐怖で気が狂ってしまいそうです。

ですが、やるしかありません。

自分は生き延びます。自分の命を、決して粗末《そまつ》に扱う訳にはいかないからです。

「……なにをボーっとしているんです。早く、行動してください」

「いや、その」

そして、なぜでしょう。

この絶体絶命の苦境に立ち、心底怯《おび》えて頭が変になってしまったのでしょうか。

この時の自分は、生まれてこの方初めてというレベルで、

「何で笑ってるんだ、お前――――」

……気分が高揚《こうよう》、していたのでした。

一九三八年 夏 9

TSMedic's Battlefield Diary

『そういえば、マシュデールにはトウリ姉《ねぇ》と縁がある人が住んでいたハズですよ』

ノエルから離れる時、私は修道女からそう教えられた。

この日記が書かれたのは、戦時中のことだ。

トウリ氏が死んでいても不思議ではないはずなのに、いざ実際にトウリ氏の墓を目の当たりにすると私は酷《ひど》くショックを受けてしまった。

私は失意のうちに、馬にまたがってマシュデールを目指した。

記憶の奥深くにある、優しくも静かなトウリ氏の声。

その声を二度と聞くことができないのが、悲しくて仕方が無かった。

「もう営業時間は過ぎてるよ。馬屋の鍵も閉めちまったよ全く」

「すみません」

私がマシュデールに到着したのは、日が落ちる寸前だった。

馬に乗っている間、私はトウリ氏の記憶を探し続けた。

「まったく、次はねぇぞ。ほら、担保の金貨を持っていけ」

「どうも」

旅人が馬を借りる際には、持ち逃げされた時のために馬と同価値の担保を要求される。

だから私は、彼に全財産の金貨を五枚預けていたのだ。

「次は遅れるんじゃねぇぞ」

「はい」

一九三八年　夏　9

馬屋は忌々《いまいま》しそうな顔で担保を返した後、さっさと家に引き上げてしまった。
マシュデールの夜路《よみち》に、金貨袋を持った私だけが残された。

――――こんなにも心を揺らされるとは。
私は修道女の話を聞いてから、グラグラと眩暈《めまい》に襲われいた。
今日は、様々なことがあった。
修道女から、トウリ氏の話を聞けた事。
そして、彼女の墓参りをする事ができた事。
彼女はなぜ、私に日記を託したのだろうか。
きっと、この日記を読み進めていけば何かが分かるはずだ。
「確か私が読んだのは、彼女がマシュデール内で取り残されたところまでだったか」
私は暗い夜道を、トウリ氏に思いを馳《は》せながら歩き続けた。
日記に書いてあるとおりであれば、彼女は数十年前にこのマシュデールにいた。
もしかしたら、彼女の生きた痕跡《こんせき》がこの町にまだ残っているかもしれない。
今私が歩いている道も、二十年ほど前にトウリ氏が通った道かもしれない。
そう考えると、ただ真っ暗な夜道なのに感慨深い何かを感じた。
「ゴムージ、か」
日記には、その名が書かれていた。

ゴムージという兵士の名に、聞き覚えがあった。

「……」

日記では彼女は二十年ほど前、銃声が響き渡るマシュデールの街を踏みしめて進んだ。

頼りにならぬ男ゴムージと共に、周囲を敵に囲まれている極限状況で。

「もしかして彼女が死んだ場所は、マシュデールなのだろうか」

当時のマシュデールには、凄《すさ》まじく残酷《ざんこく》な光景が広がっていたはずだ。

サバト軍の突撃により街中に死体が溢《あふ》れ、弔う暇もないままオースティン軍は撤退したと聞く。

「……」

殺されたとすれば、ドッグタグだけ見つかって生死不明だとしても不思議ではない。

私の胸は、ぞわぞわとしていた。

その理由は、トウリ氏の死に場所が気になったからではない。

ゴムージという男のせいだった。

「そんな訳はない」

脳裏に、嫌な妄想が浮かび上がる。

それは考えうる限り最悪で、そしてあり得そうなシナリオだった。

「だけど、もしかしたら」

……私は父の顔を知らなかった。

両親は、物心つく前に戦争で亡くなったからだ。
だが、両親の名前は知っていた。
孤児となった私を育ててくれた養母が教えてくれた。
ゴムージ・ウェーバー。
ゴムージとは、私の父の名だった。
「この男が父、なのか？」
彼はサバト出身でありながら、オースティンで育った男だったという。
養母が言うには、父は情に厚く気さくな性格で皆に慕われていたらしい。
商才にも恵まれており、私に沢山の財産を遺《のこ》しくれた。
私は父に感謝していた。
彼は人望が厚かったため、幼少期は様々な人に良くして貰《もら》えた。
私は顔も知らぬ相手ながら、父の事を尊敬していたのだ。
だけどもし、この日記のゴムージが父の事だとすれば……。
「トウリ氏は私に、遺品を残そうとするだろうか」
そんなことは無い、と思いたかった。
日記に出てきたこの下衆《げす》な人物が、父だとは思いたくなかった。
それにトウリ氏が、遺品の受取先を私にした意味が分からないのだ。
彼女はシルフ攻勢で命を落とした、と修道女から聞いた。

だとすれば、縁もゆかりもない私を遺品受取先として登録するはずがない。
それよりもむしろ、
「父が、トウリ氏の遺品受取先を勝手に変更したと考える方が……」
トウリ氏が戦死した後、その遺品処理を父が改ざんした可能性はないだろうか。
父は私に、たっぷり遺産を残していたらしい。
しかし日記で読む限り父は、衛兵の仕事で日銭を稼ぐ一般市民のはずだ。
多くの財産を蓄えていたなんて妙《みょう》である。
このマシュデールで財産を手に入れたとすれば……。
トウリ氏の遺産を勝手に奪った、というのが一番しっくりきてしまう。
「読まねばならない」
嫌な妄想だけが、膨らんでいく。
尊敬していた故人の父を、貶《おとし》めたくはない。
日記に出てきた『ゴムージ』は、私の聞いていた父親像と乖離《かいり》しすぎている。
この男が父だとすれば、トウリ氏は彼の息子に遺産を残そうとするだろうか？
私は嫌な動悸《どうき》と眩暈を覚えながら、宿までの道をゆっくり歩み続けた。

マシュデール撤退戦 2

TSMedic's Battlefield Diary

【九月十七日】

「周囲に敵影はありませんね。行きますよゴムージ」

「あ、ああ」

台所側の窓を越えた先には、そこら中に血痕《けっこん》が飛び散った小汚い路地が見えました。

視界に映る範囲に遺体はあれど、動く敵兵の姿はありません。

「……」

自分が先に路地に降りて、周囲を見渡しながら耳を澄ませました。

遠くから銃声や怒声が聴こえるだけで、路地の奥にも人の気配はなさそうです。

警戒《クリアリング》を終えた後、自分はゴムージを手招きで呼びました。

「うげ、ここにも死体がある」

「役に立ちそうな装備はありますか」

「いや、回収されてんな」

路地を進むと道の脇に、兵士の遺体が積み上げられていました。

ツンとした硝煙《しょうえん》の香りと遺体から垂れ流された糞便臭《ふんべんしゅう》が混じって鼻を突き、ゴムージは思わず顔をしかめました。

「こっちですゴムージ、こちらに行きましょう」

「そんなズンズン進んでいいのかよ？　その道で大丈夫なんだな……？」

「さあ？　マシュデールに来たことないのでわかりません」

「おい!?」

ゴムージが声を荒げましたが、土地勘もマップもない市街で迷わず進めるわけ無いでしょう。

モタモタしても見つかるだけなので、適当に足早に移動するしかないんです。

「せめてもっと慎重に、敵が先にいないか確かめてから――」

「……シッ！　止まってください、敵です。息を潜《ひそ》めて、数分待機」

「……っ！」

ゴムージが不満げに自分の肩を摑《つか》んだ直後、前からカツカツと軍靴《ぐんか》の音が聞こえてきました。

唇に指をあててゴムージを睨《にら》んだ後、物陰に隠れるよう目配せします。

「……」

「……」

まもなく、通ろうとしていた十字路を、目を血走らせたサバト兵が数名横切りました。

あのまま直進していたら、見つかってましたね。

「……もう大丈夫でしょう。進みますよ、ゴムージ」

「お、おお。ちゃんと警戒してたんだな、お前」

「ええ、こう見えて偵察兵としての訓練も積んでいますので」

自分はどこかの横暴な小隊長の御命令で、偵察兵としても訓練を積まされていたのです。

偵察兵のアレンさんから【風銃《ふうじゅう》】の使い方や周囲の警戒の仕方、手榴弾《しゅりゅうだん》の射出音や軍靴特有の移動音を聞き逃さないコツなどをよく聞かされました。

大事なのは『敵を見つけた時はどう行動すべきか、常日頃から想定しておく事』だそうです。

敵がいた場合どうなるかを前もって考えていれば、自然と警戒できるようになるのです。

「いくら衛生兵といっても、ちゃんと前線兵か。頼りにしてるぜ、先輩！」

「……どうも」

この世界はゲームではありません。現実だからこそ、五感を研ぎ澄ませばゲームより遥《はる》かに情報が得られます。

風に乗って漂ってくる硝煙の香りや、周囲の怒声の遠近、死んだ兵士の鮮度など、ゲームではとても表現できないヒントが数多く存在します。

アレンさんから教わった偵察技術、実際に見聞きした情報、それらを組み合わせれば生還も夢ではありません。

「先に進みますよ」

「ああ」

その後も自分は、警戒を密《みつ》にしながら裏路地をコソコソ進んでいきました。

敵に見つからずに済んだのは、ただ幸運でした。

もし哨戒《しょうかい》部隊が自分たちがいるルートを選んだら、その時点でお陀仏《だぶつ》です。

たまたま、自分たちは見つからずに大通りまでは辿《たど》り着《つ》く事ができました。

「……うーわ、もう大通りは押さえられてるな」

「ここで敵味方が撃ち合ってくれていたら、味方との合流が楽だったのですが」

しかし幸運はここまで。

残念ながら味方は既に、大通りから撤退していました。

街路にはオースティン兵の死体や血肉が転がり、その横を敵部隊が闊歩《かっぽ》しています。

「……」

「おい、ここを突破するのは無理だろ。引き返そうぜ」

数え切れないほどの敵兵が行き来する往来を、見つからずに横切るのは不可能でしょう。

彼の言うとおり、大通りを突っ切っても射殺されるのがオチ。

もっと細く敵兵の少ない道まで迂回《うかい》して前進した方が良いと思われます。

「どうした、先輩。まさか、ここを突破するとか言わねえだろうな」

「……いえ」

しかし引き返して迂回するとなると、しばらく路地をさ迷うことになります。

当然、敵の哨戒部隊にバッタリ出くわす危険も高まってしまうでしょう。

むしろ、今まで見つからなかったのが相当な幸運。

――――このまま迂回したら、さすがに『敵に見つかる』気がします。

「……」

「どうした、早く戻るぞ」

ゲームだと自分のこういった直感は、嫌になるほどよく当たりました。

恐らく、路地に戻ったら敵哨戒部隊に捕捉されてしまうでしょう。

何か、手を打たねばなりません。

敵の哨戒部隊を減らす手段はないでしょうか。

……例えばどこかに敵兵を集め、路地の哨戒を手薄にさせるなど。

「ゴムージ、勝ち戦の時に兵士は何を考えると思いますか？」

「あ？　いきなり何んだ」

相手の立場になって考えましょう。

今サバト兵は、手柄を立てようと躍起になっているでしょうか？

敵を見つけたら目を血走らせて、すぐ追ってくるでしょうか？

否、きっと違います。恐らく彼らは、

「勝ち戦で死にたくない。そう考えると思いませんか？」

「はあ」

敵が自分たちの気配を察知したら、すぐ突撃してこないと思われます。

自分たちの規模も分からないのに、単独で攻めてくるとは思えません。

「ゴムージ、大通りの反対側を目掛けて山なりに石を投げてください。手榴弾と誤解させられれば十分です」

「は？」

「大通りの反対側に注目を集めれば、路地を哨戒してる敵部隊を減らせるでしょう」

おそらく敵は少しでも脅威を感じたら、集まって警戒体制をとります。

勝利を目前に、博打《ばくち》など打ってこない。

「おい、それで俺たちの居場所がバレちまったら！」

「はい、なのでなるべく山なりに投擲《とうてき》してください」

「周囲を探索《たんさく》したら、俺たちも見つかるだろ！」

「さっきの家に、木製のゴミ箱があったでしょう。あそこに入れば隠れられます」

幸いにして、このあたりを哨戒している敵はいません。

今はその幸運を最大限に生かし、度胸を見せる場面です。

その方が、自分たちの生存率は高い……気がします。

「敵が探索している間は、ゴミ箱に隠れてやり過ごします。そして哨戒が手薄になった隙《すき》を突いて、路地を全力疾走しましょう」

「いや、そんな無茶苦茶な」

「ゴムージがやらないなら仕方ありません。自分は肩が弱いので山なりにならず、おそらく投げた方向もバレバレになると思いますが――」

「おいやめろ、そんなプルプルした腕で何するつもりだ。分かった、やめろ、俺が投げるから！」

そのあたりに落ちていた拳大《こぶしだい》の割れレンガを拾ってみたら、思った以上に重たくてビックリしました。

ダメですね、これ投げたら肩を壊しそうです。

「投げるモノは、もっと軽いのでいいかもしれませんね。あ、空の薬莢《やっきょう》とかどうです？これなら……」

「おう、そうだな、そうするか……。俺、とんでもねぇガキに付いてきちまったか？」

彼はブツクサ言いながら、薬莢を大通り目掛けて投げました。

ゴムージは結構肩が強く、山なりの良い軌道で薬莢が放り投げられます。

「それ、走りますよ」

それが地面に落ちる前に、自分たちは引き返してゴミ箱に飛び込みました。

底に生ゴミがこびりついていましたので、ゴムージに先に入らせました。

何とか二人分、隠れるスペースがありそうです。

「変なところ触らないでくださいね」

「てめぇなんかに欲情するか鼻垂れ！」

床に仰向けに寝たゴムージに抱きかかえられるように、自分たちは二人でゴミ箱に収納されました。

変な香水の匂いがして、不快でした。

「■■■■■!!」

ゴムージと身を寄せあって息を潜めていると、激しい怒声が街中に響きました。

大通りの方向が騒がしくなり、ザワザワと話し声が聞こえ始めます。

「どうやら、敵は薬莢に気づいたみたいですね」

「だな」

さて、ここからが重要です。

敵が哨戒部隊を呼び戻したタイミングを見計らって、全力で走らねばなりません。

その空白の瞬間に、敵の警戒網を突破せねば自分たちの命は無いのです。

分が悪い賭《か》けですが、何となく『この方法以外に』自分が逃げられる可能性がない気がします。

敵が自分の読みどおり、哨戒部隊を呼び戻してくれればよいのですが……。

「おっ。敵さん、反対側の路地に俺たちが潜んでると思ってるみたいだぜ」

「ほう？　そう言えば貴方《あなた》、敵の言葉が分かるんでしたっけ」

「まぁな、元々オヤジがあっちの生まれなんだ」

ゴムージが言うには、敵はなぜか自分たちの位置を誤認しているようでした。

いったい、どういうことでしょうか。

「薬莢の跳ねた方向が、こっちに向いたっぽいな。反対の路地を走ってたオースティン兵が、うっかり薬莢を落としたと思われてる」

「それは僥倖《ぎょうこう》ですね」

「そしてお前さんの読みどおり、奴《やっこ》さん哨戒してる部隊を集め始めた。こいつは良いぞ」

敵はやはり、堅実に行動してくれるようです。

潜んでいるオースティン部隊の規模が分からないので、集団で動こうという判断ですね。

「……そろそろ、出るか？」

「いえ、まだ周囲に敵の気配があります」

十分ほど息を殺していると、かなりの数の敵兵が前を通りました。

思ったより多い数の哨戒部隊が、裏路地に潜んでいたようです。

適当に進んでいたら、間違いなく捕まっていましたね。

「[redacted]ーっ!!」

「[redacted]！」

敵は大通りで何やら声高に指示をし、複数部隊を編成し反対側の路地へと駆けていきました。

一方で、自分たちが潜んでいるゴミ箱のある細い路地に戻ってくる兵士はいません。

「今なら安全と思われます」

「よし、とっとと逃げるぞ」

神様は想像以上に、自分たちを贔屓《ひいき》してくれたようです。

サバト兵が反対側を重点的に哨戒してくれるとすれば、かなり安全に移動できるでしょう。

「この分かれ道はどっちに行く？」

「……左方向へ進みましょう。新鮮な死体の転がっていない道の方が安全なはず」

「違いねぇ」

自分たちは敵に捕捉されないまま、人気《ひとけ》の無い寂《さび》れた裏路地をひたすら突き進んできました。

そこかしこに死体や血痕《けっこん》があり、便臭や血の臭いが鼻をつきました。

「うっ……、ひでぇ事しやがるな」

「……ただの銃殺死体ではないですか」

「こんなグロいもん見せられて、何で平然としてんだよお前」

「戦場では珍しくもないでしょう。……もしかしてゴムージは、西部戦線上がりじゃないのですか？」

ゴムージは普通の銃殺死体を見て、顔を真《ま》っ青《さお》に口を押えました。

上官への態度といい、死体に対する反応といい、一般市民みたいです。

西部戦線を経験した兵士には見えません。

「ああ、マシュデールで門番の仕事をしてたらいきなり徴兵されたんだよ」

「やはり」

「拒否権とか無かったからな。兵士にならなければ殺す、って言われた。ありえねぇぜ」

ゴムージは元々、ただの衛兵だったようです。

そりゃあ死体なんか見慣れないでしょうし、兵士として信じられない態度を取るはずです。


自分も普段なら、ご遺体を見たら心を痛めていたと思います。

しかしこの時の自分は、きっとどこかおかしくなっていたのでしょう。

「……ふむ、この付近の死体の血は固まってますね。死斑《しはん》もある……」

この時の自分には、転がる遺体が『情報源』にしか見えていませんでした。

まだ血が噴き出ている遺体は、殺されて間もない人です。

その遺体は『直近に敵兵が近くを通った』ことを意味します。

遺体に軍靴《ぐんか》の痕が付いていて腕や足が折れているなら、敵に蹴り飛ばされたと予想されます。

『腕が折られた方に敵は進んだ』と推測できるでしょう。

……恐ろしい事にこの時の自分の脳は、遺体をただの『情報源』として処理していたのです。


「……とっ！　マズいですね、敵がこの路地にまっすぐ走ってきました」

「お、おいどうすんだ。ここらに隠れる場所は無かったぞ」

「死んだふりをしときましょう。ほら服に血を塗りたくって」

「お、おお、分かった」

そして、数多くの死体が転がっているという事は、自分たちにとっても良い隠《かく》れ蓑《みの》になります。

隠れ場所がない咄嗟《とっさ》の事態に、死んだふりがそれなりに有効に作用するのです。

確かに調べられて息があるとバレたら、射殺されてしまうでしょう。

ですが、

「■■■!!」

「■ー!!」

敵が走って移動しているなら、何か急ぎの用事があると思われます。

道端の死体にかまける余裕は無いはずです。

だから無視して貰《もら》える。この時の自分は、そう判断を下しました。

「……■■■、■■■?」

ゴムージの背に血肉を塗った後。

自分も血を腹に擦《こす》りつけ、さっき腹を撃たれた直後の体勢で倒れ込んでいました。

実際に自分が撃たれた時の姿勢なので、リアリティはあるはずです。

あるはず、なのですが、

「■■■■」

「■■■?」

この時の自分の想定は、さすがに甘かったようで。

敵の兵士————二人組の銃を持ったサバト兵は、死体の振りをした自分とゴムージの前で、立ち止まりました。

「……」

心臓の音が高鳴ります。

見た目は死体として、不自然じゃない程度に偽装したつもりなんですが、何か違和感でもあったのでしょうか。

「[redacted]?」

「っ」

敵の不審そうな声を聴き、自分はようやく大きなミスに気がつきました。

……自分たちが着ているのは軍服ではなく、市民の服。

「[redacted]」

この場に、市民が死んでいるのがおかしいのです。

今まで、このマシュデール市街で民間人の死体を一つでもを見かけたでしょうか？

否、なぜならマシュデール市民はとっくに避難しているからです。

この地に残っているのは、オースティン兵士のみ。民間人なんていません。

だというのに、市民の装いをした死体が転がっていたら、不審に決まっています。

「[redacted]」

兵士の一人が、自分に銃を突きつけました。

そりゃそうです、哨戒中に不審な死体があれば警戒します。

撃たれる、殺される、怖い、怖いです。

「……」

そのままゆっくりと、二人の敵兵は近づいてきました。

どうしましょう、ここはなりふり構わず立ち上がって、全力で逃げ出すべきでしょうか。

いえ、しかし、そんな事をしても生き残れるとは思えません。

「…………っ」

ここは死んだふりをとおす、それ以外に道はない。

ですのでお願いです、撃たないでください。

「■、■■■」

生唾を飲み込んで、自分は何とか平静を保ち続けました。

鼓動の音がやかましく、全身から滝のように脂汗《あぶらあせ》が流れます。

そんな自分の焦燥《しょうそう》を弄ぶように、敵の兵士は小銃を自分に押し当てて、

「■、■■～♪」

ワンピースの裾《すそ》を捲《まく》りあげ、自分の陰部を見て大喜びし始めました。

……。

「■■■っ!!」

直後スカートを捲りあげた敵兵は、相方のサバト兵に顔面をブン殴られました。

民間人少女の遺体を辱《はずかし》めるって、正気ですか。

もう一人のサバト兵に怒られるのも無理ないです。

下着を付けていなかったので、自分は凌辱《りょうじょく》された後に撃たれた感じに見えなくもないですし。

「[redacted]、[redacted]」

「……[redacted]！」

ぶん殴られた後もヘラヘラ笑いをやめなかったクズ兵士は、そのまま逃げるように走り出しました。

もう一人の兵士は、そんな彼を追いかけてぶりぶり怒りながら立ち去りました。

「……」

「……もう、良いですよゴムージ。立ち去りました」

「お、そうか」

あの兵士、ワンピース姿の死体《じぶん》を見つけたからふざけて捲りあげたのですね。

そんなくだらない事で、いちいち立ち止まらないで欲しいものです。緊張して損をしました。

こんなアホなことで尻に敷いてた拳銃がバレていたら、末代まで祟《たた》ってやるところです。

「にしても先輩、今日はよく見られる日だな」

「……」

「痛ぇ！」

上官に舐《な》めた口を利いたので、自分は一発ゴムージの腹をぶん殴りました。

これは指導です。決して、腹いせではありません。

「……」

それからしばらく、自分たちは裏路地を進みました。

時おり敵の気配を感じましたが、そういう場合は道を変えました。

「おい先輩、ここなら……」

「ええ、今なら通過できそうです」

大きく迂回して、やがて道も狭くなってきたころ。

自分たちは敵兵が殆《ほとん》どいないタイミングを狙って、マシュデールの大通りを突破することに成功したのでした。

これで後は、細い路地を伝って最後方まで移動できると思われます。

「俺らは、東門から首都目指して撤退するんだったな」

「ええ、あと少しです」

これで、自分たちが生還できる見込みが現実的になりました。

鬼門だった町の中央————敵に占領《せんりょう》された大通りを通過できたので、敵の哨戒数はぐっと減るでしょう。

この先はまだオースティン兵と交戦中のはずなので、敵が哨戒している可能性は減ります。

うまく友軍陣地を見つけさえすれば、保護してもらうのも夢ではありません。

「……お、おい。この先で誰か撃ちあってるぞ?」

「そうですね、迂回しましょうか」

前へ歩むごとにだんだんと、激しい銃撃音が近づいてきていました。

これはとても良い情報です。

オースティンとサバトの撤退戦線、つまり味方の陣地が近づいてきている事を意味するからです。

「この先はどんな感じだ、先輩?」

「……シッ。敵兵の気配です、隠れましょう」

「お、おお。先輩、本当に鋭いな。俺には全然わからねぇや」

ただし、今このあたりをうろついている兵は敵味方共に目を血走らせています。

もう死んだふりなども通用しないでしょう。しっかり気をつけねばなりません。

「いやぁ、先輩がいて助かったぜ。俺たちは案外いいコンビかもな!」

「……お前、何かしましたっけ」

一方でゴムージは、もう撤退成功したかのような気楽な雰囲気を出していました。

まだ油断はしてほしくないのですが……。自分もこの時、大通りを越えられたことで油断が出てきてしまっていました。

そんな気の緩みが、伝わってしまっていたのかもしれません。

「生きて帰れたら、息子の嫁に来ていいぜ先輩！」

「お前、そんな歳《とし》の子供がいたのですか？」

「今年で三歳だ。先輩にはお似合いだろ？」

余裕をこき始めたゴムージを見て気を引き締め、自分は改めて周囲を見渡しました。

このまま進む事ができれば、十分に撤退できる可能性があるでしょう。

しかしまだ、敵と味方がバンバン撃ちあっている最前線を突破する必要があります。

そこが本作戦の、最後の難関といえるでしょう。

「待て」

「お、おお」

進んだ路地の先に人の気配を感じ、激しい銃撃音が聴こえたので立ち止まりました。

耳をすませば、この先で撃ち合っている敵がいる事が分かりました。

「……敵だ」

……いよいよ最前線、此処《ここ》を越えればオースティン軍の味方に保護して貰えます。

敵陣の裏取りに成功しているので、ゲームなら迷わず突っ込む場面ですが……。

現実の我々は衛生兵と新兵の二人組、背後を突いたとしても負けが濃厚です。

ここは迂回してでも、もっと安全な場所から逃げるのが堅実です。

「ここの突破は現実的ではないですね、迂回しましょう」

「おう、なら分岐路まで戻ろう」

わざわざ激戦区を通る必要はありません。

もっと戦闘が薄い場所、オースティン勢が防備を固めている場所を探しましょう。

ここまで来れた幸運を、逃してはいけません。

「……お?」

路地を引き返して分岐路の方に進むと、その先に敵はいませんでした。

不思議なことに先には敵も味方も陣取っておらず、狭い小道がまっすぐ奥に続いていました。

人気の無い、一本道。その先に見えるのは、東門へ真っ直ぐ続く、安全な撤退路。

ここを進めば間違いなく、オースティン側の防衛線の内側まで、撤退できるでしょう。

「おおおっ! すげぇ、何てラッキーだ。生き残っちまったぜ俺たち、オイ」

「……」

「ガキだなんて言って悪かったよ、先輩は最高だ!」

不思議なこともあるものです。

この小道は、敵にも味方にも発見されていなかったのでしょうか。

そうでないと、この道に敵も味方も配備されていない説明がつきません。

「これは……」

きっと敵は大通りでバンバン撃ちあうのに夢中で、こういう小道を探索するのを怠っていたのでしょう。

これは、凄《すさ》まじい僥倖です。

今回の撤退作戦で一番のキモだった『防衛線突破』を、こうも容易《たやす》く達成できるとは思ってもいませんでした。

「よっしゃ、じゃあまた先輩が先行してくれ。トウリ一等衛生兵殿は、敵の気配に敏感だからな」

「……」

「まぁ大丈夫だとは思うけど。この細い道のどこに敵が隠れるって話！」

自分たちは、幸運の女神様に愛されていたということでしょう。

一時は死も覚悟しましたが、まだグレー先輩と再会するには早いようです。

「はい、では――」

自分の悪運も捨てたものではありませんね。

ゴムージは姑息《こそく》な男でしたが、これでこの男との付き合いも終わりです。

彼の軽挙妄動は余さずガーバック小隊長に報告し、たっぷり処罰していただきましょう。

正直彼のことは嫌いですが、命を預けあった仲です。

小隊長から治療命令が出た際には、きちんと治してやりましょう。

そんな、浮《う》ついたことを考えて一歩踏み出した瞬間でした。

「――っ!!」

「先輩？」

全身の臓腑《ぞうふ》が、氷点下に冷え込みました。

同時に直感が、『この先に絶対進むな』と凄まじい警告《アラート》を発していたのに気がつきました。

この先に生はない、自分が進むべきは最初の道。

敵がドンパチ撃ち合っている最前線こそ、唯一の活路だ。

そう、自分の中の『誰か』が声高に叫んでいました。

「……ダメですゴムージ、ここは退きます」

「……は？」

「先ほどの道を通って、敵の背後を突きましょう。そして敵の銃撃拠点を確保した後に、銃弾の雨の中を突っ切ります」

「おい、何を言っている？」

この感覚を、自分はよく知っています。

一見は安全そうに見えるのに、進んだ先に破滅が待っている地獄への入り口。

悪逆なプレイヤーたちが自分を殺すために仕組んだ、罠《わな》。

「正気か？　どうしてここを突っ切っていかない？」

「直感です。この道を進むのはやめた方がいい、そんな気がします」

「……馬鹿かお前」

ゴムージはゲンナリした顔で、自分の方へ向き直りました。

ええ、自分だっておかしなことを言っている自覚はありますとも。

しかしかつてゲームにおいて、この感覚が間違っていたためしがありません。

この心臓を握り潰されるような、濃厚な死の予感の先にあるのは――――破滅です。

「寝ぼけたことを言うな、さっさと先に進め。ガキの遊びに付き合っている時間なんざねえんだ」

「そちらこそ、お忘れですか。最初に自分が言ったことを」

この感覚はきっと、他の人にはどう説明しても通じないでしょう。

だから、自分は常にゲーム開始前にこう言うのです。

「自分が退けと言ったら退く、と。そういう約束でしょう?」

殆《ほとん》どのプレイヤーは、勝てそうな美味《おい》しい盤面で退こうとしません。

リスクがあろうと目先の旨《うま》そうな餌《えさ》に釣られ、突っ込んでしまいます。

なので、前もって世界覇者である自分が宣言しておかないと、殆どの人が撤退を受け入れてくれないのです。

「……そうかい。要はテメェ、土壇場で怖気《おじけ》づいたって事かよ」

しかしこの世界において、私は世界覇者ではありません。どこにでもいる、衛生兵の小娘です。

くだらねぇとゴムージは呟《つぶや》いて、その小道を歩き始めました。

「良いよ良いよ、じゃあここは俺が先に行ってやるよ」

「駄目です、許可できません。ゴムージには、自分と共に敵の背後を強襲していただきます。貴方《あなた》のような新兵でも、いるといないとでは防衛線の突破確率に大きく響きます」

「────」

「アホか！　敵を迂回して進もうって話はどこに行ったんだよ！」

彼は、先へ進むのを押し止《とど》める自分にそう恫喝《どうかつ》すると、怒気をはらみながらテクテク歩いて行ってしまいました。

自分が先ほど感じたデッドライン、死線のその先に。

「……あっ」

もう駄目です。越えてはいけないラインを、彼は自身の足で踏み越えていきました。

同時に、自分は先ほどから感じていた違和感の正体に気づきます。

自分の推測では、この道は味方も敵も気づかなかった小道のはず。

だというのにどうしてところどころに血痕があり、石造りの路地が焦げているのか────。

「足元に、気をつけなさい、ゴムージ！」

「えっ？」

自分が叫んだ直後、彼の歩んでいた路地から魔法陣が浮き上がり、業火《ごうか》が舞い上がりました。

湿った熱気が自分の顔に勢いよく吹きかかり、ゴムージの声にならない悲鳴が木霊《こだま》します。

「あ────」

設置式魔法陣。これを仕掛けたのは、おそらく味方側《オースティン》です。

一見、防衛線の背後に回り込めるような小道を残し、罠を仕掛けていたのです。

「熱い、熱い、ぐあぁぁあ！」

下半身を火に包まれた彼は、その場に倒れこみのたうち回りました。

このままでは近くの罠魔法も起動してしまい、全身黒焦げになってしまいます。

「ゴムージ、手を出してください！」

「あぃ～ぃ!!」

自分は咄嗟に一歩踏み出して、彼へ手を伸ばしました。

熱気と焦げた鉄臭が蔓延《まんえん》する中、手汗だらけのゴムージの手を取ります。

「あちゅぃぃい!!」

「暴れないでください！」

鼻息も荒く暴れるゴムージは、必死の形相《ぎょうそう》で自分の手を掴みました。

自分は彼の手を取った後、尻もちをつくように引っ張りました。

「……このっ！」

フル装備の兵士の重量は、百キログラムを超えます。

いくら自分が鍛えていようと、簡単に引きずり出すことは難しいはず。

なので全力で引っ張ろうとした、のですが。

「ぐぁあああ！」

「わっ⁉」

しかし予想に反して、自分はゴムージを勢いよく引っ張る事ができました。

勢いのまま自分に伸し掛かってきたので、自分まで軽い火傷を負ってしまいました。

「ひぃ、ひぃぃー……」

「ぐ、大丈夫ですか、ゴムージ……」

どうやら街路が濡《ぬ》れていたらしく、彼はヌルリと滑って来れたようです。

自分はそのままゴムージの服の炎を手で払って消火し、声をかけました。

「……ゴムージ？」

「足が、足がぁぁぁ……」

まったく、たまたま倒れた先の地面がぬかるんでいるとは、幸運な男です。

そんな軽口を続けようと彼の方を向き、その足元を見て気づきました。

――彼の滑った軌跡には、大量の血がベットリと付いている。

「……」

「足の感覚が、ねぇよぉ……。どうなったんだ、俺ぇ……？」

ああ、なるほど。そういう罠も、ありましたね。

一撃で兵士の行動を封じるべく、足を爆発で吹き飛ばしてしまう凶悪な罠魔法。

「足はぁぁ……？」

視線を上げれば、ゴムージの両足は吹き飛んでいて、今もなおダクダクと血を零《こぼ》し続けていました。

それで彼の体重が軽くなって、あっさり引っ張り出せたんですね。

「……ゴムージ」

「俺の、足ぃ……」

今、自分の背に、リュックはありません。

彼の足の傷口を焼くバーナーも、止血をするための包帯もありません。

そんな状況の自分が、彼を助ける方法があるとすれば。

「痛い、痛い、痛い！　助けてくれ、先輩ぃ」

残り一回の魔力を使った、回復魔法による止血。

医療資源を失ってしまった、自分にとって『切り札』である【癒《ヒール》】の魔法。


――――だが自分の命令を無視して進み、両足を失った彼を治す価値はあるのでしょうか？

――――そもそも。ゴムージを治したとしても、彼を背負ったまま前線を突破するなんて可能なんでしょうか？

「嫌だ、死にたくねぇ……。なんでボーっと見てるんだ、まさか見捨てるつもりなのか、ちくしょォ……」

「……」

「俺が悪かった、何でもする、助けて、治療してくれぇ」

今なお足から血を垂れ流しながら、ゴムージはは懇願《こんがん》するようにすり寄ってきました。

「子供はまだチビスケなんだぁ……、俺はこんな場所で死ぬわけにはいかねぇんだ」

「……」

「クソッタレ、衛兵してただけで徴兵とか聞いてねぇんだよ！　俺は市民のために懸ける命なんか持ってねぇ、俺の命は女房と子供だけのためにあるんだ」


もう殆ど体力も残っていないだろうに。

ゴムージは目を血走らせ、自分のワンピースの裾を摑み、恨み言をぶつけてきます。

そんな彼に、自分はどう言葉をかけたものか全く分かりません。

「……その」

「そもそも前線のお前らがちゃんと戦ってりゃ、俺はこんな目に遭わずに済んだんだ！　恨むぞ、死んだら恨んでやる！　俺を治療しろ、それがお前の義務だろうがこのヘッポコクズ兵士！」

ただ一つ言えることとして。

自分は約束を破った彼を、治療する理由も義理もありません。

「家内が俺の帰りを待ってるんだ！　息子を食わせなきゃならねぇんだ！」

「……」

「お前らが勝手にやってた戦争だろ！　無様《ぶざま》に負けてマシュデールに逃げ込んできた臆病者《おくびょうもの》が！」

自分は今、この世でただ一人ゴムージの命を救うことができます。

そして、きっと彼が生還すると信じている家族がこの世のどこかにいるのでしょう。

「お前らが負けた尻拭いを、市民にさせてんじゃねーよバーカ!!」

どう考えても見捨てるしかない、味方の兵士。

そんな彼を見下ろして固まってしまった自分に、黒焦げの男は力を振り絞って絶叫したのでした。


自分はこの地獄で、命の取捨選択をずっと行ってきました。

助けられる命、助けられない命、助けても役に立たない命、助ければ利益の大きい命。

いつの間にか自分は、人の命を損得で考えるになってしまった気がします。

目を虚《うつ》ろにして「助けてくれ」と懇願する、助かる見込みの無い兵士。

そんな人たちを、自分は医療本部で何度も見捨ててきました。

「何とか言えよ、言ってくれよ先輩ぃ！」

「……っ」

平常時の自分であれば、迷わず彼を見捨てたでしょう。

ゴムージを治療しても、何の得にもならないからです。

この男には「逆らったら見捨てる」と事前通告しておきました。

だからここで指揮官として、彼を助ける義理はありません。

「見捨てないでくれぇ……」

【盾《シールド》】や【癒《ヒール》】の使用回数は、生存率に直結します。

だから、魔力を無駄に浪費すべきではない。

そう理解していたからきっと、「理性」の部分が最後まで自分を躊躇《ためら》わせていたのです。

「────大丈夫です、ゴムージ」

数秒の躊躇《ためら》いの後。

自分は溜《た》め息を吐《つ》いて、男の前に屈《かが》みました。

「安心してください、自分はお前を見捨てません」

ここでゴムージを見捨てても、きっと誰も責めなかったでしょう。

自分に残された魔力は、残り僅《わず》か。

衛生兵にとっての魔力は、兵士にとっての残弾に等しい。

「そのまま、ゆっくり深呼吸してください」

「え、あ」

「――――【癒《ヒール》】」

しかし自分は魔力を使い果たしてまで、ゴムージの足の出血を止めてやりました。

この男は放っておいて、他に生き延びる道を探す。

戦力が減ってしまったが、それをリカバリーする何かを考え、生き延びる。

それが、おそらく冷静な判断だったでしょう。

「さて、落ち着きましたかゴムージ」

「う、あ、ああ」

「さて、もうこれで懲《こ》りましたね？　これからは、自分の指揮に従ってもらいますよ」

他人に甘いこと、この上ありません。

自分の、他人を助ける悪癖もここまで来てしまったかと自嘲《じちょう》したことを覚えています。

「もう自分に逆らわないと誓うなら、新兵一人くらい運《キャリー》んでみせましょう」

「あ、ああ。誓う、誓うから」

「よろしい」

こうして自分は、両足のない新兵を治療して魔力を使い切ってしまいました。

残っている魔力は【盾《シールド》】を一発撃てるかどうかという量でした。

魔力も医療資源も失ってしまった今、自分は無力な十五歳の小娘に成り果てたのです。

そんな代償を支払ってまで、彼を治す意味はあったのでしょうか。

「ならば後は自分《せんぱい》に、任せてください」

しかし後から思えば。

この時、彼を治したのは良心からではありませんでした。

自分の直感――――、いえ、自分の中の「誰か」の声に従った結果だったように思います。

その自分の中の「誰か」はこの極限状態において、ゲームに生き残るための最適行動を自分に示し続けていたのです。

そしてその「誰か」が、ゴムージを治して力を借りることが『最適解だ』と判断したのでしょう。

だから、貴重な魔力を使ってゴムージを【癒《ヒール》】したのです。

「……ぜぇ、ぜぇ」

「落ち着きましたか」

ゴムージの止血処置を終えた後、彼は息も絶え絶えといった状態でした。

意識は何とか保っていますが、目は虚ろなままです。

かなり失血してそうですからね。

「腕は動きますね、ゴムージ」

「あ、ああ」

「じゃあ貴方には、角待ちをしてもらいます」

自分は軽くなったゴムージを背負い、優しく語りかけました。

こんな状態の新兵に、難しいことは要求できません。

「おい、何をするつもり、だ」

「先ほど裏を取れていた敵の銃撃拠点を、制圧しに向かいます」

「アホか……、俺たち二人で、どうやって」

「そこを突破できなければ、自分たちは殺されるだけですが」

なのでゴムージに下す命令は、極力単純なものにしました。

角で待って、敵が来たら撃て。彼の仕事は、それだけです。

「そこを突破するしか、ねぇってのか？」

「ええ。手榴弾が一つでもあれば楽なんですけどね」

大通りに転がっている沢山の死体をあされば、手榴弾の一つくらい補充できそうですが
……。

人目の多い場所に姿を見せるのは、リスクが高すぎます。

自分の服装は血濡れた白ワンピース。大通りでもさぞ目立つでしょう。

背後から手榴弾を投げ込んで一掃する作戦は、ナシですね。

となると、手持ちの武器――拳銃と小銃で、背後から奇襲をかけるしかない。

せっかく敵の裏を取れているので、それを上手《うま》く利用したいところです。

「自分が敵を誘い出すので、お前は追いかけてきた敵を銃撃してください」

「あ、ああ」

「間違って自分を撃たないでくださいよ」

裏取りは、ＦＰＳにおいては必勝の戦術です。

初撃で好きな対象を撃てるというのは、大きすぎるアドバンテージ。

「自分は銃撃の経験がありません。まともに小銃を扱えるのは、ゴムージ、おそらくお前だけです」

「お、俺だってまだ本当に人を撃ったことは」

「撃ち方は知っているでしょう」

しかし自分は衛生兵なので、銃の扱い方も知りません。

扱ったことのない銃で実戦なんて博打はできません。

「この拳銃は単発式なんですね？　一発撃てば使い物にならない」

「あ、ああ」

自分がゴムージから手渡されていた、拳銃は単発式でした。

小銃が壊れた時の予備、あるいは咄嗟の近接戦で使う用のお守りのようなものです。

「お前が、主力です。頼みましたよ、ゴムージ」

自分はあの世界のゲームのように、銃を撃てる兵士ではないのです。

ゴムージに戦ってもらう他、前線を突破する方法なんて最初からありません。

「声的に、あの銃撃拠点に十名ほどの敵兵がいると想定されます」

「十人……っ」

自分たちは息を潜めたまま、銃撃拠点に近づいて行きました。

敵はおそらく、小隊規模。気配的に、多めに見積もって十名と仮定しました。

「む、無理だろ。そんなの突破できっこねぇ……」

「できなければ死ぬ、それだけです」

「そんな無茶苦茶な！　おい、まさか俺を囮《おとり》にして逃げようって腹じゃねぇだろうな！」

「そんなつもりなら、貴重な魔力を使って助けませんよ」

お前じゃあるまいし。

「自分が一人で突撃します。しかしこの銃の性能からして、仕留められるのは一人だけ」

「あ、ああ」

「だから自分が囮を務めます。自分を追ってきた兵士を、お前が撃ち殺してください」

彼にそう命令を下した後、自分は後ろ手に小さな拳銃を握りしめました。

たった一発の、撃ったことすらない実銃。

これを敵に命中させる必要は、必ずしもありません。敵に自分という存在を認識させ、脅威を感じさせればそれでいいのです。

あくまで自分は囮、本命はゴムージによる角待ち作戦。

ですが欲を掻《か》くなら、この一発で誰かを仕留めておきたいところです。

「それでは、お願いしますね」

自分は、暗い路地に座り込んだ部下を流し見た後。

血に濡れたワンピースの裾《すそ》を翻《ひるがえ》して、静かに敵の拠点へと歩いていきました。

硝煙の香りの乗った風が、色濃く吹き荒れる中。

自分は姿も隠さず、堂々と敵の背後へと姿を見せます。

「■■■ー」

裏路地を出てすぐのところに、大きな家がありました。

どうやら敵は、その家の庭に陣取っている様子です。その数は……見たところ七人ですか。

今のところ、背後の自分に気がついている敵はいません。

いきなり後ろから敵が現れるとか、想定していないでしょう。

何せ大通りは、サバト軍が制圧しているはずなのですから。

「■■■！」

「■■■■ー」

敵は家屋を覆う石造りの壁を盾に、オースティン兵と撃ちあっていました。

民家の庭を、銃撃拠点に使用しているようです。

なるほど、その家は四方を塀《へい》で囲まれているので、拠点としては理想的な作りをしていました。

良い場所に目をつけましたね。

「さて」

そして、敵が四方を塀で覆われている状況は、自分にとってもありがたいです。

自分も家の塀を盾に、敵の銃撃を躱《かわ》す事ができるので。

塀越しに自分は拳銃を構え、数メートル先に立っている指揮官らしい男に銃口を向けます。

「……手ブレって、どのくらいでしょうか？」

以前自分に与えられていた風銃は、殆ど反動がありませんでした。

魔法により、反動が制御されているそうです。

ですが、これは実弾銃。自分の筋力の無さも鑑《かんが》みて、それなりにブレると考えた方が良いでしょう。

頭部より胸を狙う方が、命中率は高いでしょう。

そう考えた自分は、周囲に指示を飛ばしている敵の指揮官らしい兵士の心臓に狙いを定め、

「————っ!!」

自分はこの世界で初めて、実弾銃を発射しました。

「■■■！」

結論から言いますと、自分の銃は割といいところにあたってくれました。

やはり狙いは大きく逸《そ》れて、心臓直撃とはいきませんでしたが……、敵前線指揮官の左肩下部を撃ち抜くことができました。

血を吐いて倒れたので、肺は破ったと思われます。前線に衛生兵でも配備していない限り、致命傷でしょう。

初めて撃ったにしては、上々ではないでしょうか。

「さて、と」

敵は凄まじい形相で振り向き、自分の存在を認知しました。

即座に銃を構えられたので、屈んで塀でやり過ごします。

「こっちですよ」

自分は屈みこんで姿を隠したまま、裏路地の方向へと走っていきました。

このまま、路地裏までついてきてくれたりはしませんかね。

「[redacted]、[redacted]っ!!」

自分が裏路地に入った瞬間、敵の何人かが塀を乗り越える音がしました。

間もなく、数名の敵が裏路地側の塀に張りついた気配を感じます。

さすがに不用意に、路地裏まで追ってきてくれはしないですね。

となると、次の敵兵の行動は……。

「[redacted]ァ!!」

敵は路地裏に、手榴弾を投げ込んできました。これも、想定どおりの行動です。

未知の敵が背後に現れた時、きっと敵は手榴弾という強力な兵器に頼るだろうと信じていました。

……恐らく【盾《シールド》】持ちとの近距離戦の経験がないのでしょうね。

塹壕《ざんごう》戦ならともかく、こんな距離で手榴弾を使えばどうなるか教えてあげましょう。

「――【盾《シールド》】」

自分は残りの魔力を全て使って、投擲を行った敵兵の目の前に【盾《シールド》】を出現させてやりました。

手榴弾には二種類のタイプがあります。それは時限式で爆発するタイプと、衝撃に反応して爆発するタイプ。

そして手榴弾の多くは、衝撃に反応して起爆するタイプであり、

「■■！！？」

敵の投げた手榴弾は、裏路地の入口を塞ぐように展開された自分の【盾《シールド》】にぶつかり、大爆発を起こしました。

爆風に巻き込まれた兵士が一人、致命傷を負って倒れ伏すのが見えました。これで、敵兵の残りは五人。

それだけでも十分な戦果ですが、敵の損害はそれだけでに留まりません。

今の爆発で、サバト兵は塀を崩壊させてしまったのです。

これにより、自分の隠れる『裏路地』と『敵の拠点』を遮《さえぎ》るものが何もなくなりました。

──この状況を、自分は作りたかったのです。

サバト兵からすると、今の状況は致命的です。

背後を取られたまま、正面のオースティン兵と撃ち合うなんて正気の沙汰《さた》ではありません。

しかし路地裏に手榴弾を投げ込めばどうなるか、先ほど思い知ったはずです。

すると次に敵が取ってくる手段は……。

「■■■■！」

突撃、それしかありません。

敵の判断は早く、すぐさま二名の兵士が裏路地に突撃してきました。

もう魔力も銃弾も尽きているので、自分は脅威にはなりえないのですが。

彼らはちゃんと自分を、危険な『敵』と判断してくれたようです。

「……こっちですよ」

自分は狭い路地裏で、突撃してきたサバト兵と正面から相対することになりました。

銃弾も魔力もない自分にできるのは、ただ立ち尽くす事だけ。

精一杯の虚勢を張って、自分は無邪気にサバト兵へ笑いかけました。

今、自分が着ている服は真っ白なワンピースです。

ところどころ血で赤く染まったこの服は、それはもうよく目立ちます。

そんな自分が堂々と裏路地に立って笑いかけたら、敵の目線はどうなるでしょうか。

――――裏路地の隅でもたれ掛る「新兵」に、注意を向けられるでしょうか。

「今ですゴムージ！」

「お、オォ!!」

敵が銃を構えるより早く、ゴムージが敵兵に向け小銃をぶっぱなしました。

この男は自分の見る限り、かなり生き汚い性格です。

生き延びるためであれば、最高のパフォーマンスを見せてくれると信じていました。

「やったぜ、当たったぃ！」

「■、■、■っ!!」

血反吐《ちへど》を吐きながら、撃たれた敵兵はゴムージを睨みつけました。

サバトの勝ち戦の、最後の詰めで戦死しようというのです。

それはもう、未練で仕方がないでしょう。

そんな凄まじい形相の敵に対し、

「悪いな、俺のために死んでくれやぁ!!」

ゴムージは躊躇いなく、とどめの銃弾を撃ち込んだのでした。

これで、敵の残存戦力はあと三人。彼らさえ倒せば、拠点制圧です。

こちらの戦力は、ゴムージと自分の二人。先ほど殺したサバト兵士さんから、小銃もちょうだいしました。

これで形勢は逆転。負傷者と衛生兵のコンビですが、戦況は我々が有利といえます。

「おお、何か敵が勝手に死んだぞ」

「対面のオースティン兵ですね。これで、もう残存戦力はわずかです」

なぜなら自分たちは、サバト兵を包囲しているからです。

前後に注意を払わねばならない状況は、どんな優秀な部隊も壊滅しかねない窮地です。

「……今です、敵が二人とも前を向いています。狙撃《そげき》してください」

「よし来たぁ！」

目の前で仲間が撃ち殺された事に動揺したのか、迂闊《うかつ》にも目前のサバト兵の我々への警戒が途切れました。

そのタイミングでゴムージをけしかけ、サバト兵の一人を射殺します。

これで敵は、残り一人。たった一人で前後に注意を払うなんて事はできません。

これが、包囲されるという事の厳しさなのです。

まぁもっとも、

「さて、そろそろ味方陣地に突っ込みますよゴムージ。自分に背負われたまま、銃を乱射して下さい」

「え？」

「そろそろ時間切れです。背後からウジャウジャとサバト兵の気配を感じます、さっきの敵が連絡してたんでしょうね」

「えええ⁉」

背後の大通りはサバトの勢力圏なので、包囲されているのは自分たちも一緒です。

前線部隊から情報が渡れば、すぐさま後詰《ごづめ》が押し寄せてくるはずです。

さっきから嫌な予感がビンビンしていましたが、そろそろ限界っぽいです。

「是非《ぜひ》、突っ込みながら拠点の最後の敵を仕留めてくださいゴムージ。そうしなければ、自分たちは敵兵を背に銃弾飛び交う前線を突っ走らなければならなくなります」

「お、おい正気か」

「その時はゴムージ、お前は自分の肉盾になります。背後からの銃弾は、お前で受け止める所存です。ですから、撃たれたくなければ、前方の二人の敵を早く仕留めてください」

「ああ、もう、クソッタレ！」

自分の立てた作戦は、一歩足りなかったようです。

背後から聞こえる無数の軍靴音は、間も無くここにサバト兵が押し寄せてくることを意味します。

自分たちはすぐ飛び出して、目の前のサバト兵と交戦せねばなりません。

現状、一番これが生存率の高い作戦とはいえ、十中八九死んじゃう気がします。

「行きますよ！」

「おお、おおおっ!!」

背後に迫る敵の気配から逃げるように、自分とゴムージは裏路地を飛び出しました。

敵はギョっとした顔で、こちらに銃口を向けました。

「ひぃぃ！」

敵の放った銃弾は真っすぐ、自分の体幹の中心へと向かっていきます。

銃口を向けられた瞬間、自分は無我夢中で身体《からだ》を捻《ひね》って銃弾を躱《かわ》しました。

幸いにも弾は自分に当たらず、ゴムージの腕を掠《かす》るだけですみました。

しかしそのゴムージの腕は、小銃を持っていた腕であり。

「あ、馬鹿、何をしているんです」

「撃たれたんだよ！　痛ってぇ!!」

ガチャーン、と大きな音をたてて。

ゴムージは大事な小銃を、地面に落としてしまったのです。

自分は彼を背負って全力疾走している最中。

もちろん小銃を拾いに戻る余裕なんてありません。

「……■■■!!」

数秒ほど走り続けると、敵は次弾装塡を終えて再び自分たちに銃を構えました。

しかも、次はきっちりストライクコース。重たいものを背負っている自分に、避ける手段はありません。

どうやら撤退作戦は失敗ですね。割と、頑張ったつもりだったんですが。

まぁ、元々無理ゲーに近い条件だったんです。次はもっと、上手くやりましょう。

ああ、いいえ。

もう、自分に次なんて無いんでした。

だってこの戦争はゲームなんかじゃなくて、硝煙の匂いや火傷の痛みも本物で、敵が自分に向けて撃ってくるのは実弾なのです。

最期まで自分は愚かでした。

戦争ゲームなんかの経験を使って、実際の戦争を生き延びようだなんて、おこがましい事この上ありません。

自分なりに全力で生き抜こうとしましたが、自分はここまでのようです。

今までたくさんの人に支えられて生きてきた命だというのに、無駄にしてごめんなさい。

死ぬ前に、せめて。孤児院の皆の、安否を知りたかったです。

「まだ走れるな、トウリ」

そう、死ぬ覚悟を決めていた折でした。

厳しくも恐ろしく、そして誰よりも前線で頼りになる軍人の声が聞こえてきたのは。

「……あ」

「退くぞ」

その男は自分の背丈ほどの剣を振るって、自分に銃口を向けていた敵兵を真っ二つに切り裂きました。

彼は肩から血を流し腹に包帯を巻きながらも、平然とした顔で立っています。

「ガーバック、小隊長殿」

「ふん、運の良い奴」

自分は慌てて、彼の背へと向かって走りました。

なぜここに彼がいるのか、どうして彼は助けに来てくれたのか、何も分かりませんが。

一つだけ言えるのは、ガーバック小隊長の背中にいさえすれば、この前線のどこよりも安全なのです。

「どうして、その」

「少佐殿の仰せは、負傷兵の撤退を支援し戦線を維持せよ、だ。こんな命令じゃなきゃ、てめぇなんぞ助けに来ねぇよタコ」

そう言ったきり、小隊長殿は黙って走り去っていきます。

「あっ、その」

「……」

「ありがとうございます、小隊長殿！」

その背は、とても頼もしくて。

自分は置いていかれまいと最後の体力を振り絞り、戦場で一番安全な男の背中と共に味方陣地へと撤退したのでした。

一九三八年　夏　10

TSMedic's Battlefield Diary

「……」

ここまで日記を読み終えた私は、頭を抱えていた。

日記に出てくるゴムージなる人物が、父であると確信したからだ。

養母の話では父ゴムージは戦争で両足を失ったため、襲撃してきた賊から逃げられず命を落としたのだという。

何もかも、つじつまが合ってしまうのだ。

「トウリ氏は、マシュデールで死んだ訳ではなさそうだが……」

この後、トウリ氏が何らかの原因で命を落としてしまったのだろう。

そして彼女の死後、父がトウリ氏の遺産受取先を勝手に改ざんしたのだ。

そうでなければ、遺産の受取先が私になっているはずがない。

普通は、ノエル孤児院を受取先にするはずである。

私はここから先を読み進めるのが、怖くなった。

数十年前の戦時中とはいえ、父が犯したかもしれない犯罪を暴くのは気が引けた。

「もう寝よう」

私は日記帳を閉じてベッドに寝そべり、声にならない程度に呻《うめ》いた。

父が勝手に書類を改ざんしたというのは、私の勝手な妄想だ。

もしかしたらこの後、父はトウリ氏と意気投合したのかもしれない。

……今はそう、思い込んでおこう。

「明日、人を訪ねばならないしな」

　あまり夜更かしすると、次の日に響く。

　私はベッドに身を預けたまま、安いワインを一気飲みして昏倒《こんとう》するように意識を手放した。

「……トウリ衛生兵殿のお知合《しりあ》いですか」

　次の日。

　私は修道女から聞いた「トウリ氏と面識がある」という老人の家を訪ねた。

「覚えていますよ。儂《わし》は彼女に怪我《けが》を治療して貰《もら》って、生き延びたんですから」

「戦争で、負傷されたのですか」

「ええ、見てのとおり儂は腕を失いまして。放っておいたら失血死していたところを、トウリ衛生兵殿に救われたのですよ」

　家から出てきたのは、いかつい傷を体中に残した老人だった。

　彼は現在、息子夫婦に世話されて悠々自適の隠居生活を送っているのだという。

「彼女は実に小さかったですなぁ。男が密集し列をなす先に、フラメール人形のような可愛《かわい》い娘《こ》がせっせと働いていたのは印象的でした」

「そうですね。写真のとおりだと、かなり背は低い人だったのでしょう」

「おお、これだ、この人だ。懐かしい……間違いなくトウリ衛生兵殿だ」

この老人は敵の突撃で腕を吹き飛ばされた後、苦痛に耐えて医療本部の列に並んでいたそうだ。

腕を縛りながら並んでいたが、少しずつ血があふれ出てきて止まってくれない。

やがて意識もぼやけてきて、此処《ここ》で死ぬのかと思った矢先……。

『貴方《あなた》、すぐに横になってください』

『お、おお？』

『衛生兵のトウリと申します。……緊急処置を致します、楽にしてください』

トウリ氏が、彼が失血死寸前であることに気づいて助けてくれたのだという。

「あの娘は小さいのに、よく周囲に気を配っていた。すぐに紐《ひも》で固く腕を縛り直してくれた後、消毒液をかけてな。物凄《ものすご》ーく痛かったが、同時にこれで助かるんだと心底安堵《あんど》した」

「なるほど」

「今、儂がこうして生きているのも彼女のお陰。あの小さな衛生兵さんの事が忘れられんで、調べてノエル孤児院を訪ねに行った事もあるのよ。そんであの娘が亡くなってしもうたと聞いて、落ち込んだもんさ」

老人は世間話でもするかのように、そう語ってくれた。

もうトウリ・ノエル氏はこの世を去ってしまったが、彼女が生きた証《あかし》はこうしてまだ残っている。

「彼女が生きてくれていたら、菓子折りを持って行くんだがなぁ」

衛生兵だった少女トウリは、いろんな人に慕われていたようだ。

……私は改めて、「帰ったら彼女の日記の続きを読もう」と決意した。

父が何をやったかを知った上で、改めて彼女の冥福《めいふく》を祈るべきだ。

場合によっては、父に代わって謝罪しよう。

「ご老人。貴方は、彼女がどこで死んだかご存じですか?」

「あー。すみませんが、知りません。ノエル孤児院の修道女が知っとるかもしれんです」

「いえ、彼女はご存じない様子でした。遺体が行方不明《ゆくえふめい》だから教えてもらっていない、と」

「そうでしたかぁ。すみませんが、だったら儂は分からんですね」

駄目もとで訊いてみたが、この老人もトウリ氏の死に場所はご存じないようだった。

「他にトウリ氏についてご存じな事はありますか」

「んー、そうですな」

マシュデールに来る機会は多くないだろう。

今のうちに訊けることは訊いておきたい。

「そういや、トウリさんはかなりの人形好きだったっていうのは聞いたことがありますなぁ」

「人形好きですか」

「ええ」

トウリ氏は人形好き。その話を聞いて、私は思わず口元が緩んでしまった。

彼女の日記からは生真面目《きまじめ》な性格がうかがえるが、そのような可愛らしい趣味もあったとは。

「退役した儂の戦友が、マシュデールで玩具屋《おもちゃや》を開きましてな。そいつが店の前を通ったトウリさんに、人形をプレゼントしたんだとか。大層喜ばれたそうですよ」

「確かに、彼女には人形が良く似合いそうです」

「あれだけ喜んでくれたなら贈った甲斐《かい》があった、とそいつは笑っていましたわ」

写真に映る少女は、人形遊びをしていてもおかしくない幼さを残していた。

彼女が人形を受け取り、喜ぶ姿はさぞ可愛らしかっただろう。

「……ん？」

にしても、トウリ氏がマシュデールで玩具屋の前を通る機会があったとは。

それは少し妙《みょう》な話だ。なぜなら日記のとおりだと、彼女がマシュデールに到着したのはシルフ攻勢の真っただ中だ。

玩具屋が商売をしているはずがない。

「ご老人、少し記憶違いをしていませんか？　その話が本当ならシルフ攻勢の真っただ中、トウリ氏が玩具屋の前を横切ったことになりませんか」

「え？　いや儂も聞いた話なので自信はありませんが、そいつは間違いなくトウリさんが横切ったと言っていましたよ」

「それは、いつの話です」

「そりゃあ」

その違和感に気づいた私は、老人にそう問うてみた。

すると、彼から帰ってきた答えは、

「そいつが玩具屋を開いたのは戦後のはずです。その退役兵は、戦後にトウリさんに再会したのだと思いますよ」

「えっ」

マシュデール撤退戦 3

TSMedic's Battlefield Diary

【九月十七日　夜】

こうして自分たちは九死に一生を得て、ガーバック小隊に救出されました。

小隊長殿は敵陣後方にいる自分の存在に気づき、突撃してくださったようです。

曰《いわ》く『衛生兵にはそれだけ価値がある』からだそうです。

「トウリの指揮権は俺が預かる。ゴムージ二等兵も、再び俺の指揮下に戻れ」

「了解です」

自分を保護した後もガーバック小隊は、最前線でサバト兵を迎撃し続けました。

自分とゴムージはガーバック小隊に合流し、護衛される形でマシュデールから撤退しました。

「周囲を警戒しろ、待ち伏せがあるかもしれん」

「了解です、小隊長殿」

マシュデールを出たオースティン軍は、ガーバック小隊が最後のようでした。

彼らが、オースティン軍全体の殿《しんがり》を務めていたみたいです。

「敵の気配、ありません」

「よし、前進だ。先に撤退した味方と合流するぞ」

「はい、小隊長どの」

サバト兵の追撃が無い事を確認した後。

ガーバック小隊は悠々と、マシュデールから撤退したのでした。

「また、おチビと歩くことになるとはな」

「元気にしてたかトウリ。ちょっと痩せたんじゃねぇか？」

「……どうも」

マシュデールを脱した後は、暗い夜道を味方の陣地へ歩きました。

背後で戦闘音は止《や》み、マシュデールを占拠したサバト兵の鬨《とき》の声が聴こえます。

彼らの勝利の雄たけびを背に、自分はロドリー君やアレンさんと共に夜闇を歩き続けました。

「おチビが抜けた後は、大変だったんだぞ。ずっと激戦区に配備されてよォ」

「泣く子も黙るガーバック小隊だからな、そりゃ地獄に配備されるさ」

エースとして名を轟《とどろ》かせていたガーバック小隊は、マシュデールでも獅子奮迅《ししふんじん》の働きを見せたそうです。

堡塁《ほるい》においても小隊長の強さは健在で、多くの敵兵士を返り討ちにし、味方の士気を大いに高めました。

本日もガーバック小隊は脱落者を出さずに殿を務め、落伍兵《じぶん》を保護した上に撤退に成功しています。

相変わらずエースに相応《ふさわ》しい、ちょっとおかしい戦果です。

「……以上が、自分がマシュデールでゴムージ二等兵と共に撤退しておりました経緯であります」

「そうか。その他に報告事項はあるか、トウリ」

「ありません」

撤退の道中、周囲に敵の気配がなくなったころに自分はガーバック小隊長から査問を受けました。

なぜ自分は味方とはぐれ、マシュデールをさ迷っていたのか　どこでゴムージと合流し、いつ彼が負傷したのか。

自分はそれらの問いに対し、正直に余さず報告いたしました。

「味方の魔法罠《わな》くらい、見破れるようになっておけ。注意深く見れば分かる」

「そうなのですか」

「やり方は、後でアレンに訊いておけ」

あの小路《こうじ》に設置魔法陣を仕掛けたのは、ガーバック小隊長の指示だったそうです。

警戒心の足りない敵兵を殺し、迂回路《うかいろ》を封鎖《ふうさ》する一石二鳥の作戦でした。

あの罠だけで数名の兵士を仕留めた（ゴムージ含む）というからさすがです。

「……ふん」

設置魔法陣というのは、いわば地雷です。

工作兵により設置され、接触した瞬間に爆発を起こす厄介《やっかい》な魔法兵器です。

実はマシュデールに到着後、自分と入れ替わる形でゴムージと『ヨットさん』と言う工作兵がガーバック小隊に配属されていました。

工作兵とは魔法罠を仕掛けたりできる、戦闘補助に特化した兵科です。

本来は突撃部隊に編成されない兵科ですが、小隊長が無理やり引っ張ってきたのだとか。

「では、歯を食いしばれトウリ」

「……っ」

自分を引き抜いた負い目があったためか、少佐殿はあっさり小隊長の要求を受け入れたそうです。

半面、前線に駆り出されたヨットさんは涙目だったようですが。

——ドスン、と。

そんな暢気《のんき》なことを考えていたら、自分はガーバック小隊長殿に鳩尾《みぞおち》をぶん殴られました。

鈍い痛みとこみ上げる吐き気が、自分の身体《からだ》を揺らします。

「状況は理解した。貴様《きさま》が拳銃を使用し、敵を撃ったのも十分に酌量《しゃくりょう》の余地はあるだろう」

「……はい、ありがとうございます、小隊長殿」

「だが、軍規違反には違いない。衛生兵が武装し、発砲するなど言語道断。今のは罰として受け入れろ」

「ご指導、ありがとうございます」

ガーバック小隊長殿は自分の報告を全て聞き終わった後、思い切り腹をぶん殴りました。

撤退に必要だったとは理解してくださったようですが、やはり拳銃の使用は軍規違反に当たると判断されたようです。

「貴様とゴムージの治療は禁じる。そのままトウリはゴムージを背負ったまま待機」

「はい、小隊長殿」

「レンヴェル少佐に会ってくる。トウリ、ゴムージ、お前らは沙汰《さた》を待て」

腹を押さえ蹲《うずくま》る自分の後ろには、ゴムージが満身創痍《まんしんそうい》で倒れ伏していました。

彼もまた、小隊長殿の鉄拳制裁の被害者です。

「ぢ、ぢくしょう、痛ぃ」

「……ほら、行きますよ」

自分が報告する前、ゴムージは小隊長殿により速やかにタコ殴りにされていました。

まあそれは自業自得なので、どうでもよいです。

「なるべく骨の折れたところは触らないようにしますので、摑《つか》まってください」

「な、何だよあの男……、おかしいんじゃねぇのかよぉ」

「あ、ゴムージも気づきましたか」

自分は小隊長殿の指示どおり、ゴムージを背負って立ち上がりました。

ウジウジと垂れ流されるゴムージの泣き言を聞き流し、遠く夜空を見つめます。

現在、自分たちはマシュデールから首都に向かって撤退中です。

あまり長時間、休憩するわけにはいきません。

きっとすぐ、戻ってきてくださると思われます。

「足を失ったばっかの俺に、ここまでしなくても良いじゃねぇかぁ、なぁ？　ぐすっ」

「……」

背中にゴムージの涙とか鼻水とか血の感触が伝って、嫌な気分になりました。

これを含めての罰、という事でしょうか。

「それに先輩だって、銃を撃たなきゃ死んでたのによォ。殴る必要がどこにあるんだ

――――」

「……よ、指導は済んだかおチビ」

「あ、ロドリー君。お久しぶりです」

「おう」

ゴムージの愚痴《ぐち》にうんざりしていると、やがてロドリー君が話しかけてきました。

やはり、長い時間を共に過ごした戦友の顔を見ると安心します。

「あ、ロドリー君。腕を切ってるじゃないですか」

「ん？　ああ、弾がかすった」

「大丈夫ですか？　消毒とかちゃんとしましたか？」

「要らねぇよ、ていうか前線に消毒液なんざねぇよ」

「駄目です、小さな切り傷だからと舐《な》めてはいけません。飲料水とかで、傷口は一度洗い流してください」

「……へいへい」

「あのー、先輩？　あんたの背中に、全身打撲と骨折まみれの重傷者がいるんだが？　心配する対象が間違ってねぇか？」

ロドリー君には見た感じ、大きな怪我《けが》はなさそうでした。かすり傷は絶えませんが、どれも軽傷のようです。

彼は勘が鋭くて反射神経も良いので、今まで重傷を負ったところを見たことがありません。

とはいえ、戦場はちょっとした油断で命を落とす場所。それなりに心配はしていました。

「でよォ、おチビ。お前、気づいたか？」

「ええ。小隊長殿の異変ですよね」

「ああ」

ロドリー君はふと周囲を見渡しながら、自分にそう耳打ちしました。

無論ロドリー君に指摘されるまでもなく、先ほどから自分も気になっていたことがあります。

「小隊長？　奇跡の生還者をタコ殴りにした、おかしい鬼畜サド野郎様がどうしたんだ？」

「ええ、そのとおりですよゴムージ。小隊長殿が、物凄《ものすご》くおかしいんです」

「だよな、どう考えてもおかしいよな小隊長ォ。病院で見てもらうか？」

「まったくとんでもねェ奴《やつ》の部隊に入れられちまったもんよ。何であんな理不尽な暴力が許されてるんだ――――」

地獄耳な小隊長殿に聞こえないよう、自分はロドリー君たちと静かに影口を叩《たた》きました。

先ほどの小隊長殿は、少し気持ち悪かったです。何せ、

「『軍規を犯して罰がアレだけとか、優しすぎる』ます」

「ん？」

軍規違反を指摘しておいて、鳩尾《みぞおち》一発殴るだけって小隊長殿にしては甘すぎます。

撤退戦の途中だからかもしれませんが……、軽く殴るだけで罪を清算してくださるのは、優しいという他ありません。

「とうとう小隊長も慈愛の心に目覚めたのかなァ」

「元々、優しい人だったのかもしれませんね。全身打撲くらいは覚悟して報告していたのですが、鳩尾一発だけとか想定外です」

「優しい人は普通、負傷者をボコボコに殴らねぇよ？」

ゴムージは自分の背中で、ドン引きして突っ込みました。

普通に見れば確かに苛烈《かれつ》な暴行に見えますが、普段の小隊長を基準に考えると今日はメチャ甘です。

というか、ゴムージに関しては普通基準で考えてもかなり甘い対応な気がします。

なぜならばこのゴムージ、

「そもそもゴムージ、敵前逃亡したお前が生かされてる時点でゲロ甘だぞ。俺はてっきり、銃殺して捨てておくつもりかと思った」

「えええ⁉」

小隊長殿の背中について突撃する恐怖に耐えきれず、一人逃げ出したそうです。

逃走先で敵兵に出くわしてそこらを逃げ回った末に、自分と合流したのだとか。

敵前逃亡は銃殺、当たり前です。むしろゴムージはどうして、生かしてもらえると思っていたのでしょう。

「嘘《うそ》だろ、俺殺されるところだったの？」

「そりゃそうですよ。不自然な甘さですよね、小隊長らしくない」

「ま、そりゃトウリに配慮《はいりょ》したんだろ」

「おや、アレンさん」

ガーバック小隊長の変化をロドリー君と気持ち悪がっていたら、アレンさんが苦笑いして話しかけてきました。

自分に配慮、とはどういう事でしょうか。

「ゴムージは、トウリが命がけで背負って助けた命な訳だ。そんな男をわざわざ銃殺し、部隊に軋轢《あつれき》を作りたくなかったんだろ」

「はあ」

「特にトウリは最近、かなり感情的になってたからな。撤退中ってのを鑑《かんが》みて、その辺のリスクを避けたんだと思うぞ」

「あー、なるほどォ」

アレンさんが言うには、自分への機嫌取りでゴムージを殺さなかったようです。

ゴネる新兵《じぶん》の相手をするのを嫌った、という事でしょうか。

「自分だって軍人です、軍規の重要さは理解しております。気を使っていただかなくても良かったのですが」

「先輩？　その言い方だと、俺が死んでも別に良かったって意味にならねぇ？」

「……それにトウリ、お前はもう少佐直轄《ちょっかつ》だからな。余計なこと言われたくなかったんだろ」

「あー」

……そういえば、今の自分はガーバック小隊の衛生兵ではなく、レンヴェル少佐の直属の部下でした。

階級こそガーバック軍曹《ぐんそう》より下ですが、そうしようと思えば小隊長を好きに報告できる立場です。

自分は知らないうちに、ヴェルディ伍長《ごちょう》ポジションを獲得していたという事ですか。

「その、この間は恥ずかしいところをお見せしてすみませんでした」

「人間である以上は仕方ないさ。もっと人生経験を積めば取り乱すこともなくなる」

「ありがとうございます。もう、自分は感情的になったりしません」

「ははは、そんな言葉を言ってる間は無理だトウリ。感情ってのは思った以上に厄介で、操りにくい。感情的にならないのを目指すんじゃなくて、感情的になった時にソレを自覚できるようになりな」

「……なるほど」

つまり自らの感情を御すのではなく、感情と折り合いをつけろという事ですか。

さすがはアレンさん、含蓄があります。

「そうだぜ先輩、本心をうまく隠した方が人生上手《うま》く行きやすいってもんさ。馬鹿を騙《だま》す時とかな！」

「……」

そしてさすがはゴムージ、品性を疑います。

「後、トウリを撤退させたゴムージへのご褒美って意味もあったのかもな。功罪差し引いて、体罰で済ませたか」

「そ、そうか。じゃあ俺も命を張った甲斐《かい》があったってもんだ！」

「かけられた迷惑の方が多かった気がしますけど」

「先輩ィ!?」

「……ここまでトウリに塩対応される奴は初めて見るなァ」

まぁ、どんな理由であれ小隊長殿が彼を生かす判断をしたのであれば従うのみです。

自分は、ガーバック小隊長に逆らう気はありませんので。

指揮系統こそ移りましたが、きっと自分は一生彼に頭が上がらないのでしょう。

「おい、トウリ」

「あっ。何でしょうか、小隊長」

数分ほど経って、ガーバック小隊長殿が戻ってきました。

彼は自分の目の前にきて見下ろすと、指でクイクイと呼び寄せました。

「少佐に引き合わせる、ついてこい」

「了解です。……その」

「ああ、背中のタコは置いていけ」

ガーバック小隊長は相変わらず無表情で、声音《こわね》は不機嫌でした。

罰則が異常に甘かった割に、ご本人はあまり機嫌はよろしくない様子です。

「……」

自分は剣呑《けんのん》なオーラを発しているガーバック小隊長の背を追って、カツカツ歩きました。

白状しますと自分は絶体絶命の窮地から脱し、かつ久し振りに小隊の仲間と会えて心軽やかでした。

「……負傷兵が、こんなにいたんですね」

「気になるか」

しかし、こうして陣地の中を歩きながら見回すと、改めて祖国の窮状を突きつけられました。

ガーバック小隊長と進む陣地の道すがらに、多くの負傷兵が座り込んでいました。

頭に包帯を巻いて横になっている者、虚《うつ》ろな眼で三角座りしている者、腕をだらりと垂らしている者。

マシュデールを占領《せんりょう》された敗走軍に相応しい、悲壮《ひそう》な光景が広がっていました。

「……こんなに沢山、誰から治療をすればよいのでしょう」

「ふん」

眼が死んで亡者のようになっている兵士の間を縫って、ガーバック小隊長は歩き続けます。

……彼らの治療は、しなくても良いのでしょうか。

医療資源があれば自分が治療できますが、どれほど持ち出せているのでしょうか。

「ここにいる連中の治療は基本的に不要だ。戦闘に耐えない重傷者は、先に搬送《はんそう》されてる」

「今此処《ここ》にいるのは、戦える力が残ってる連中だ。敵の追撃に備えてな」

「そう、でしたか」

とてもそうは思えないのですが。

ここに座っている怪我人《けがにん》たちは「比較的に軽傷」と判定され、撤退を許されなかった兵士だそうです。

つまり後方には、これ以上の重傷者が山ほどいるという事でしょう。今ごろは、クマさんたちが寝る間も惜しんで働いているものと思われます。

「……本当に、これだけの負傷者で戦闘なんてできるのでしょうか」

「やれと言われたらやるしかない。兵士ってのはそういうものだ、右腕が吹き飛ぼうと全身火だるまになろうと命令を遂行するのみ」

ガーバック小隊長殿は、ふんと鼻を鳴らしました。

……確かにこのお方ならどれだけ負傷しようと応戦できるでしょうけど、一般兵にそれを求めるのはどうでしょう。

「ま、もっとも。もう戦闘なんて、起きねぇだろう」

「そうなのですか？」

「ああ」

小隊長殿は、苦虫を嚙《か》み潰《つぶ》したような顔でそう吐き捨てました。

ガーバック小隊長殿の呟《つぶや》きはどういう意味かと首をかしげていると、

「ほら、ついたぞ」

ガーバック小隊長が指し示したその先に、戦傷だらけの大柄な男性が岩に腰かけているのが見えました。

……オースティンの総指揮官、レンヴェル少佐です。

「む、来たかトウリ一等衛生兵」

「レンヴェル少佐殿、よくぞご無事で」

彼は自分の顔を見て、随分と安堵《あんど》した表情になりました。

「貴様のお蔭《かげ》だ。あの状況から、よく生き延びた」

彼はそのまま顔をほころばせ、喜色満面に自分の手を取りました。

見た感じ、少佐に大きな負傷はなさそうです。命がけで彼を治療した甲斐がありました。

「本当によくやったガーバック。好きな階級を言うといい、俺の権限で好きなだけ昇進させてやるぞ」

「はっ、泥船の階級なんぞ願い下げです」

「遠慮するな、俺の少佐の階級なんてどうだ」

「俺の手には余りますな」

レンヴェル少佐は、不機嫌そうな小隊長殿とは対照的にジョークでも飛ばすような声音で話をつづけました。

少佐殿は、どんな絶望的な状況でもこういう余裕を失わない人なのでしょう。

「トウリ一等衛生兵、恥ずかしながら逃げ延びて参りました。再び、少佐殿の指揮下に入ります」

「ああ、いや別に良い。君《きみ》はそのままこの男に護衛してもらいなさい」

「……はい」

少佐殿は、自分の指揮権を再び小隊長に預けました。

あっさり負傷して役に立たなかったのでクビ、という事でしょうか？

「ああ、そんな顔をする必要はない。ただ、どうせもう交戦は起こらないだろうから、気心の知れた部隊の仲間と共に首都まで撤退しろという話さ」

「……交戦が起こらない、ですか？」

「ああ」

少佐殿はそういうと、静かに目を閉じて微笑《ほほえ》みました。

……レンヴェル少佐までもガーバック小隊長殿と同じく、もう交戦は起こらないと宣言しました。

「その、質問をしてよろしいでしょうかレンヴェル少佐殿」

「どうした、トウリ一等衛生兵」

「交戦が起こらないとは、いったいどういう事でしょうか？」

「ああ、まだガーバックから聞いておらんかったんだな」

少佐殿は自分の質問に対し。

どこまでも透き通った瞳《ひとみ》で、はっきりと答えてくれました。

「────先ほど、政府がサバト連邦に対し無条件降伏を宣言した」

そして自分は、少佐殿の言葉を聞いて、

「終戦だ」

オースティンという国が、敗北した事実を知ったのでした。


無条件降伏。

それは戦争の結末として、もっとも屈辱的な決着です。

シルフ攻勢により西部戦線を突破された後、各地でオースティンは抵抗を続けましたがどうしようもなく。

オースティン政府は必死でサバトと交渉を続けたようですが、講和は全て棄却されました。

そしてマシュデールが陥落した事実を受け、政府はとうとう無条件降伏に踏み切ったのだといいます。


「……そっか」


政府が無条件降伏を宣言したことは、その晩の間に味方兵士全体に知れ渡りました。

これで我々の国は、サバトの植民地のような扱いになってしまうのでしょう。

しかし、それでも。


「やっと、終わるのか」


兵士たちの反応は悲嘆にくれる者ばかりではなく。

茫然《ぼうぜん》と肩の荷が下りたような、そんな顔をしていた兵士も多くみられました。


「……最後の問題は、いつサバトの最前線まで無条件降伏したことが伝わるかだ」

戦争に負けた日の夜。

自分たちオースティン兵はポッカリ空いた空虚《くうきょ》な胸の内に、生き残った感傷を抱き。

むせび泣く声が響く冷たい土の上で戦友たちと並んで寝入りました。


【九月十八日　昼】

政府が無条件降伏を宣言した、その翌日。

自分たちはガーバック小隊は、再びレンヴェル少佐の元へ呼び出されていました。

聞けば偵察の報告によると、サバト軍は未《いま》だに焼き討ちを続け、我々への追撃を準備しているそうです。

敵はまだ、戦争を終わらせるつもりはないようです
「我々は、もう無条件降伏をしたのでは……？」

「もう戦う理由なんてないんじゃないですか」

「ああ、そのとおり。ただし、それを敵さんが知ってるかどうかだ」

とはいえ、この状況は想定内だそうです。

自分の前世と違い、この世界の通信機器は魔法によるモノが主《おも》でした。その有効範囲はせいぜい、数キロメートルといわれています。

サバト軍は破竹の勢いで侵攻してきたため、まだ通信環境が整っていないようです。

政府が発した声明文書をサバトの官僚が受け取って、停戦命令が最前線まで伝達されるのにタイムラグがあるのは当然。

「俺たちが『もう無条件降伏したから止まれ』って叫んでも信用してもらえるわけがねぇ。サバト軍は向こうの命令でしか止まらないのさ」

「では向こうの停戦命令があるまでは、敵は侵攻し続けるという事でしょうか」

「ああ。そもそも昨日は無条件降伏を宣言しただけで、正式文書の受け渡しは今日の昼間だ。おそらく完全な終戦は、明日以降になるだろう。……運が悪ければ、数日かかるかもな」

レンヴェル少佐はそう言うと、小さくため息をつきました。

この時点では「我々は無条件降伏をする」と叫んだだけで、正式な文書を受け渡していません。

そんな状況で、敵が侵攻を止めるわけがないのです。

「では、どうなさるおつもりですか」

「敵の侵攻軍の偵察を続けながら、我々は敵に合わせて後退していこう」

「……遠くに逃げなくてもよいのですか」

「俺たちが一目散に逃げたら、周辺の村の被害が増えるだけだからな。適度に俺たちを警戒してもらいつつ、後退する方が良いさ」

どうせもう戦わないんだしな、と少佐はくたびれた声で笑いました。

「敵さんもそれなりに損害があったから、マシュデールを制圧したまま息もつかず追撃してこないだろう。おそらく態勢を立て直してから追ってくるはずだ」

「……自分もそう思います」

「だから慌てて、尻尾《しっぽ》を巻いて逃げる必要はない。むしろ市民への略奪を牽制《けんせい》するためにも、敵の目に留まる範囲に俺たちがいないとまずい」

それが俺たちの最後の仕事だな、とレンヴェル少佐は続けます。

自分たちは、オースティンの軍人です。無条件降伏を宣言した後でも、民のために行動せねばなりません。

危険な役目ですが、それがレンヴェル少佐なりの軍人としての矜持《きょうじ》なのでしょう。

「ガーバック、また最後尾を頼むわ。ねぇと思うが、万一敵と接触したら上手く捌《さば》け」

「了解です、少佐」

「交戦しても、絶対に敵を殺すなよ？　降伏する意思を疑われたらヤバい」

「……無茶を仰《おっしゃ》る」

そして、少佐殿はその命令を言い渡すために、自分たちを呼び出したようでした。

ガーバック小隊は、レンヴェル少佐の旗下《きか》に残った唯一のエース部隊です。割り振られるのはやはり、一番危険な場所なのでした。

「あとこれは老婆心《ろうばしん》だが……。トウリ一等衛生兵は、戦後の身の振り方を考えておくといい」

「身の振り方、ですか」

話の最後、少佐は思い出したようにそう言いました。

「戦後、軍は解体される。さすれば家族と故郷のないお前は、天涯孤独という事になる」

「……」

「後ろ盾のない女の末路なんて、悲惨なもんだ。誰かに保護してもらわないと、攫《さら》われて売り飛ばされるのがオチだ」

「それは……」

確かに、それは少佐の言うとおりです。

身寄りのない小娘がウロウロしていれば、人攫《ひとさら》いの格好《かっこう》のカモになるでしょう。

「しかし、自分に誰か頼れる伝手《つて》などは……」

「タクマ氏《クマさん》など、君が関係を持った医療従事者の伝手を頼るのを勧めよう。癒者《ヒーラー》として尊敬を集めている彼なら、戦後もそれなりの権力を持ってるだろう。あるいは、小隊の中の誰かに籍入れするのも良いだろう」

「……なるほど」

「本当は、命の恩も兼ねて俺の家で世話してやりたいんだが……。ま、それがちと厳しそうなのよな」

少佐は、そのまま自分の頭を撫《な》でました。そして、まるで孫を可愛《かわい》がるかのような態度で、彼は言葉を続けました。

「さすがに俺は、責任取らされるだろうから」

――そう。おそらくレンヴェル少佐は、戦後に処罰を受けることになります。彼は前線指揮官として、サバト兵を多く屠《ほふ》る命令を出した張本人です。敗軍の将として、様々な責任を問われることになるでしょう。

「……少佐は、お逃げにならないのですか」

「無論、逃げ出したいさ。だから昨日からずっと、ガーバックに少佐にならないかって訊いてるんだ」

「その階級は、俺の手に余りますな」

「だけど、この一点張りよ。まったく、もうちょっと上司を労わったらどうだ」

くっくっく、と堪《こら》えきれないようにレンヴェル少佐は笑いました。

「ま、よくよく考えるといい。人生はまだまだ長いんから」

「少佐殿……」

「話は以上だ。くれぐれも、せっかく生き残ったその命を無駄にするんじゃないぞ」

そういって、歴戦の老雄は優しく笑いながら自分を見送ってくれました。

【九月十九日】

「敵も、のんびりだが追いかけてきてるな」

「やっぱり、補給を待って万全の状態で攻めてくる様子ですね」

マシュデールに駐屯《ちゅうとん》しているサバト兵を見張る事、二日目。

ようやく敵は、マシュデール郊外に布陣している自分たちを目掛け出陣してきました。

付近の村の制圧より、我々への追撃を優先してくれたみたいです。

「撤退命令だ、奴らに追いつかれないように退《ひ》くぞ」

「了解」

やはり、まだ彼らに終戦の情報は届いていない様子でした。

サバト兵は意気揚々《いきようよう》と、我々目掛けて進軍してきていました。

無条件降伏した我々は、彼らと交戦する事を許されていません。

彼らの目の届く範囲で、逃げ続けることしかできないのです
「もしかして今日は、一日走り通しだったりします？」

「知らん、敵に訊け」

ゴムージが、昨日のうちに負傷兵扱いで首都へ搬送されていてよかったです。

あの男を背負ったままマラソンとなれば、さぞ煩《うるさ》かったでしょう。

「今ここで死んだら馬鹿みたいだぞ。死ぬ気で走れ」

この日の戦いは、なんとか遠距離から砲撃しようとするサバト兵と、その有効射程から死ぬ気で逃げるオースティン軍という地味な勝負になりました。

必死こいて逃げる我々を、追いかけるサバト軍。

補給も十分、士気も高いサバト兵はかなりの速度で進軍してきたのですが、少佐殿はかなり安全マージンを取って布陣していたので敵の砲撃が自分たちに届くことはありませんでした。

結局、日が暮れる前にお互いかなり距離を取って、進軍を停止する形になりました。

「そういえば、自分たちの魔導《まどう》師部隊はいないのですか？」

「……少佐の権限で、先に撤退したそうだ。もう魔石も無いらしい」

「マシュデールにいっぱいあったように見えましたが」

「ふん、少佐殿は娘が可愛かったんだろうよ」

撤退中、ふと味方部隊が敵に魔法で威嚇《いかく》射撃してくれれば楽なのになと考えたのですが。

どうやら少佐殿は、アリア少尉《しょうい》率いる魔導師部隊を既に撤退させてしまっていたそうです。

……何だかんだ、物凄く身内に甘いんですねあの人。

「それは本当で？　指揮官が公私混同ってマズいんじゃないですかい、小隊長」

「余計なことは考えるな。公私混同は多かろうと、軍命は軍命だ」

ガーバック小隊長は舌打ちし、吐き捨てるようにそう言いました。

レンヴェル少佐は優しそうな人ですが、確かに身内贔屓《びいき》も多そうです。

どんな人にも多少の悪癖はあるという事でしょう。

「もしかしたら、何か深い理由があったのかもしれません」

「ねぇよ、どうせ。昔からあの人はそうなんだ」

「……もしかしてガーバック小隊長殿は、レンヴェル少佐をお嫌いなのですか？」

「その質問に答えて、何か意味があるのか？」

「いえ、何も」

その質問を聞いた小隊長は、ギロりと自分を睨《にら》みました。

もしかしてガーバック小隊長殿は、あまりレンヴェル少佐と相性が良くないのでしょうか。

「ただまぁ、俺はあの人に頭は上がらん。それだけだ」

「そうなんですか」

「テメェの前では優しそうなツラしかしてねぇけど、元々あの人は理不尽な鬼だぞ？　思い出すだけで飯がまずくなる」

小隊長殿はそっぽを向いて、珍しく忌々《いまいま》しげな声を出しました。

……よほどレンヴェル少佐に嫌な思い出があるようで、彼はしかめ面《つら》で遠くを睨みつけました。

「小隊長殿から見て、少佐はどんな人ですか」

「レンヴェル少佐は、いわば剣を振るって戦ってた時代のエースだ。調子乗りで、酒乱で暴力的で、それでいてクソ強ェ」

「……」

「無駄に戦功を立てるせいで、周りの誰もあの人を止められなかった。まさに、戦場の暴君って奴だな」

……それは、どこかで聞いたことのある話ですね。

「若いころの少佐は気に入った奴は贔屓して、ムカつくとブン殴った。仕事中に酒飲んだり、居眠りしたりとやりたい放題だったな」

「そ、それは」

「後方に引っ込んでからはおとなしくなったが、今でも少佐殿の顔を見ると俺ぁ胃がムカムカしてきやがるのさ」

堰《せき》を切ったように、ガーバック小隊長は勢いよくレンヴェル少佐の愚痴を言い始めました。

なるほど。小隊長と少佐の関係が、何となく分かりました。

ついでに、人生で初めて小隊長殿に親近感を覚えてしまった気がします。

「では小隊長殿のご指導は、レンヴェル少佐譲りだったのですね」

「は？　何で俺が少佐の真似《まね》をしなきゃならん」

「……え？　いえ、別に」

「今のは聞き捨てならんぞ。俺が今まで、理不尽に罰則を加えたりしたか？　え、トウリ？」

「あ、その、すみません」

……自分の失言に、小隊長殿は本気で怒りました。

どうしましょう、はっきり言った方が良いんでしょうか。

多少、その、ガーバック小隊長殿も、他の隊の小隊長と比べて暴力が苛烈なきらいがあるような……。

「小隊長。レンヴェル少佐殿は、どんな感じに理不尽だったんですかい？」

「ああ、聞けアレン。少佐は『欠伸《あくび》が出そうだったのに貴様の顔を見て引っ込んだ』と言って顔面をブン殴ってきた人だ」

「想像以上に理不尽でした」

優しそうに見えたのに、レンヴェル少佐ってそんな人だったんですか。

「何発、あの人に無意味に殴られたか覚えてねぇ。少佐が酒なんて飲んでた日にはもう、何しても殴られたもんだ。思い出しても腹が立つ」

「……ご愁傷さまです」

ガーバック小隊長のその言葉の節々からは、深い恨み節を感じました。

小隊長殿はきっと、正当な理由で指導しているつもりなのでしょう。

ただ彼自身が受けた指導から、あの苛烈な暴行が『正当』だと認識しているのです。

「ただ。そんな無茶苦茶な性格でも、戦争で負けねぇのがあの人の唯一の取り柄だった」

「……」

「頭も性格もアレな上官だったが、あの人が負けてる姿なんて一度も見たこと無かった。

そこは唯一、俺があの人を尊敬していたところだ」

しかし最後に、ガーバック小隊長は少し寂しげにそう呟き。

「堂々と敵の前に姿を見せて被弾し、死にかけるとは。耄碌《もうろく》したんだろうな」

小隊長殿はそう愚痴ったきり、話さなくなりました。

「……」

自分には、そんな小隊長の愚痴と裏腹に、レンヴェル少佐の能力に対する信頼も微《かす》かに感じたのでした。

【九月二十日】

「おい、サバトの連中、今日も攻めてきてますよ」

「待てばそのうち、停戦命令が届くって話じゃないんですか」

「あいつら、ちゃんと通信機器持って移動してんだろうな？」

一晩明けても元気に、サバト軍は我々を追って首都方面に進軍してきました。

報告を聞いた感じ、略奪をやめる様子も見受けられないとのことです。

「向こうの通信技術はどうなってんだ。もしかして、サバトって未だに伝書鳩《でんしょばと》とか使ってんじゃねぇの？」

「俺たちは伝書鳩使ってる軍に負けたってか。笑えねぇ」

自分たちは辟易《へきえき》としながら、いつまでも戦いをやめてくれないサバト軍から逃げ続けました。

ちゃんと最低限の通信設備が担保されていれば、一日以内に参謀本部からの指令は前線に届くはずです。少なくとも、オースティンの技術レベルではそうでした。

だというのに、なぜこんなにもタイムラグが生じてしまっているのでしょうか。

「敵の指揮官が、大勝しすぎて前のめりになってるのかもな」

「前のめり？」

「進軍速度を優先し通信を担保せず、現場判断で行動してる可能性があるってこった」

アレンさんがそうボヤき、ガーバック小隊長が渋い顔をしています。

サバト軍の事情は分かりませんが、いずれにせよ敵の進軍が止まらないのは事実。

「……なぁ、ここを越えられるのはまずくないか」

そしてサバト軍はいよいよ、首都へと続く最終防衛ライン。

ここを越えれば首都は目前という、ムソン砦《とりで》へ肉薄してきたのでした。

一九三八年　夏　11

TSMedic's Battlefield Diary

戦後にトウリ氏と出会った人がいる。その情報は、私を大いに混乱させた。

孤児院の修道女は『トウリ氏が戦死したのは、シルフ攻勢の翌年である』と言っていた。

彼女のドッグタグはノエル孤児院に届けられていたし、死亡通知も受け取っていたという。

だとすれば、この老人は記憶違いしている可能性が高い。

……しかし修道女はこうも言っていた。『彼女は半年ほど行方《ゆくえ》が分からず、死亡と見なされた』と。

つまりトウリ・ノエルの遺体を確認した人はいないのだ。

ならばトウリ氏は軍に復帰しなかっただけで、民間人に混じって生き延びていたとしても矛盾はない。

彼女はまだ、生きている可能性がある――――。

「セドルさん、どうしました。突然に黙り込んで」

「……いえ」

少しずつ、胸が高鳴ってくるのを感じた。

あの写真の少女に、会えるかもしれない。

私とあの少女がどのような関係なのか、分かるかもしれない。

……だとすれば私はトウリ氏に会いたい。

会って話をして、この戦場日記を彼女に直接届けたい。

日記に挟まった写真の一枚一枚に、彼女の大切な思い出が詰まっているのだ。

この日記はトウリ氏の手に戻るべきだ。

「ご老人、一つお願いがございます」

「何でしょうか、セドルさん」

「私は今日から、トウリ氏の行方を探そうと思います。彼女に会って話がしたい」

私はそう言って、老人に自分の名と住所を記した紙を手渡した。

「……？　トウリ衛生兵殿は、もう死んだんじゃないんですか」

「どこかで生きているかもしれない、と私は思うのです」

彼は不思議そうな目で私を見つめた後、黙って紙を受け取った。

その後、私は老人に一礼して立ち上がった。

「もし彼女について分かったことがあれば、ここにご連絡ください。謝礼は用意しますので」

「え、ええ。……どうして、彼女が生きていると？」

「証拠は何もありません。ただ私が勝手に、そう信じてみようかと」

「そうですか。それはいい」

私の言葉を聞いた後。

腕を失った老人は、破顔して、

「あの娘《こ》が生きているたぁ、救いのある話ですな。伝手《つて》を当たって調べてみましょう」

「ありがとうございます」

「あまり、期待はしないでくださいよ」

そう言って、私の差し出した手を握ってくれた。


老人と連絡先を交換した後に礼を言って別れ、私はホテルへと帰った。

私に残された休暇は、あと半日ほど。今日の午後には列車に乗って、自宅に帰る予定だ。

帰り道、マシュデールの大通り《メインストリート》にはかなりの人が行きかっていた。

主婦らしき女は子供を連れて食材を買い歩き、半裸の男が集まって大きな鉄材を担いでいた。

これが彼らの、マシュデールの日常風景なのだろう。

「む？」

ふと古い建物の角を覗《のぞ》き込《こ》むと、小さな亀裂《きれつ》を見つけた。

亀裂の中心には綺麗《きれい》な円形のくぼみがある。

「……弾痕《だんこん》だ」

マシュデールはシルフ攻勢で大きな損害を受け、戦争の痕跡《こんせき》はところどころに残ったままと聞く。

私が見つけた弾痕も、この町では決して珍しくないのだそうだ。

彼らの生きた痕跡が、現代でもなお見つかることに小さな感動を覚えた。

あの日記に記されていた悲劇が、生々しく現実とリンクした。
「……」
早く、ホテルに帰ろう。私は弾痕を指でなぞった後、そう考えた。
日記の続きが読みたくなったからだ。
私は彼女に会いたい。彼女のことを、もっと知りたい。
その思いは恋のように、胸の内にどんどんと大きくなってきていた。

マシュデール撤退戦　4

TSMedic's Battlefield Diary

【九月二十日　昼】

ムソン砦《とりで》は、首都を守るために設けられた山砦です。

規模はマシュデールに劣るものの、険しい山岳の間道に建設されたため堅牢《けんろう》でした。

サバト軍が首都ウィンに侵攻するなら、このムソン砦を落とさざるを得ません。

首都を守るために建設されたこのムソン砦は、オースティンの『最後の砦』なのです。

ここを突破されれば、首都ウィンは焼き尽くされてしまうでしょう。

「少佐、どうするんです」

「……俺たちは無条件降伏をした立場だ。もし向こうの手違いで街を焼かれても、文句なんぞ言えん」

「ではこのまま、首都を焼かれるのを眺《なが》めてるおつもりで？」

「そうは言っとらん」

レンヴェル少佐は、降伏してなお進軍を止めてくれないサバト軍を見て舌打ちしました。

残った戦力でムソン砦に籠《こも》り、敵を迎撃するか否か。

その判断に、迷っているのでしょう。

「俺は、冷静になってもらうためにも一戦交えるべきと思いますがね」

「迎撃したら降伏の意思を疑われるじゃろう、ガーバック。さすれば、それこそ全土を焼かれる」

レンヴェル少佐が悩んでいたのは、その一点でした。

ムソン砦で戦闘行為を行えば、無条件降伏そのものを疑われるリスクがあるのです。

「そもそも、敵のアホどもが突出《とっしゅつ》しすぎて司令部と連携を取れていないから起きている事態でしょう」

「……」

「敗走してるこっちも連携できなかったとして、何の矛盾があるってんです」

消極的な少佐とは対照的に、ガーバック小隊長は迎撃を主張しました。

自分たちも通信設備に難があり、無条件降伏を理解していなかったという体《てい》での迎撃を主張したのです。

「首都を攻撃されないため、政府は無条件降伏を選択したんです。ここで奴等《やつら》を素通りさせたら、元も子もないでしょう」

「……」

「そんで戦後に、少佐殿が責任とって処刑されればよろしいかと」

「相変わらず、無茶苦茶を言いおるなお前」

レンヴェル少佐は、既に敗軍の将として処刑される覚悟は決めておられました。

だったらあと二〜三個罪状が増えるくらい気にするなと、ガーバック小隊長は言い放ったのです。

相も変わらず、無茶苦茶な人です。

「俺が死ぬのは構わんのだ。しかし無条件降伏した後に応戦すれば、敵の心象は最悪になるじゃろう。ウィンで八つ当たりを始めるかもしれん」

「ならば、敵に快勝させてやれば良いじゃありませんか」

それでもなお不安げなレンヴェル少佐に、ガーバック小隊長は獰猛《どうもう》な笑みを浮かべ、

「決死の兵を募《つの》って、数十名ほどで応戦させましょう。当然、完膚無きままに叩《たた》き潰《つぶ》されますが、だからこそ良い。サバト兵も憎い俺たちを殲滅《せんめつ》できて、気持ちいいでしょうな」

「……」

「そいつらだけ捨て駒にすれば、大きな損害は出ない。やらん手は無いでしょう」

いわゆる、捨《す》て奸《がまり》とも言うべき戦術でした。

捨て奸とは、いわばトカゲが尻尾《しっぽ》を切って逃げるがごとく、少数の決死部隊に殿《しんがり》をさせて本体が脱出する時間を稼ぐ苦肉の策です。島津の退《の》き口《ぐち》でも、その有用性は示されています。

捨て奸は確かに有効な戦術です。

「誰がそんな役目をやるんだ」

ただその前提として、命を捨ててもなお戦い抜くだけの気概《きがい》を持った兵士を募る必要があります。

「さすがの俺も、今このタイミングで部下に『死ね』と命じる気にはならんぞ」

「ああ、それなら何の問題もありませんぜ」

そんなレンヴェル少佐の詰問に対し、小隊長殿は飄々《ひょうひょう》と、

「今から、志願者を募ってみればよろしい。俺の見立てですと、数十名は集まるでしょ

う」

　そう答えたのでした。

　……ここを逃げ延びれば、終戦です。この地獄みたいな戦いから、生き残ることができます。

　しかし、捨て奸部隊に入ればまず生きては帰れません。

　勝利する事も許されず、ただ僅《わず》かな時間を稼ぐためだけに、敵に蹂躙《じゅうりん》される役目。

　誰が、そんな役目を買って出るでしょうか。

「……そうか、お前がそう言うならばやってみよう」

　レンヴェル少佐は、ガーバック小隊長の進言を受けて決死の兵を募ることにしました。

　もしも十分な人数が集まるなら、ガーバック小隊長の作戦を採用する心積もりだそうです。

　しかし、集まらなかった時は――――素直に、砦を放棄して逃げようと、仰《おっしゃ》いました。

「……小隊長。さすがに、あのような条件で兵士が集まるとは思えませんが」

「何だトウリ、てめぇにゃ分かんねぇか」

「だって、生きて帰れないではないですか」

「まぁ生きて帰れんな」

　自分は、そんな奇特な人が数十人もいるとは思えませんでした。

　小隊長殿は、いかなる根拠があってそう言い切ったのか分かりません。

「分かんねぇなら、それでいい」

ガーバック小隊長はチラリと自分を見た後、つまらなそうにそう言い捨てました。


その日の、深夜。

「以下、五十四名」

生きては帰れず、勝利も許されず、ただ殺されるためだけの決死の部隊に。

「ムソン砦の防衛部隊として志願いたします」

五十名を超える志願兵が、レンヴェル少佐の前に押し寄せたのでした。

「……ガーバック、お前もか」

「ええ」

より多くの人々を守るために、少数の犠牲を享受するのは戦争においてよくある事です。

しかし、誰もが『貧乏くじを引くのは自分以外であってくれ』と思うはずです。

自分から貧乏くじを受け取りに来る兵士が、こんなにも多いなんて思いもしませんでした。

「レンヴェル少佐。こいつらの指揮権は、俺が貰《もら》っても構わんですな?」

「……ああ、お前に任せよう」

「これだけの規模の部隊だと、俺ぁ中隊長を名乗れますな。墓石には、見合った階級を彫っといてください」

「なんだ貴様《きさま》、階級に興味がなかったんじゃないのか」

「見栄えの問題でさ」

しかし、志願した兵士たちは……、なぜでしょうか。

悲嘆にくれて、死に怯《おび》える兵士は殆《ほとん》どいません。

どこか安心したような雰囲気で、楽し気に抱擁し合っていました。

「……小隊長殿」

「何だトウリ」

「その。どうして小隊長殿まで、志願なされたのですか」

中でも衝撃だったのは、その志願部隊にガーバック小隊長が名乗り出た事です。

あれだけ生存に貪欲で、自分が生きていることこそが最大の国益だと主張してやまなかった人でしたのに。

自分はてっきり、ガーバック小隊長はゴムージほどじゃなくとも、それなりに生き汚い人間だと思っていました。

「そりゃ、提案者が志願しなくてどうすんだ。発言には責任が伴うもんさ」

「……」

「んな顔すんな、情けねぇ。俺ぁ別にお国のために命を捨てようだとか、首都の民の命を守るためだとか、そんな高尚な志で志願したわけじゃねぇ」

しかし、この時のガーバック小隊長殿は間違いなく正気で。

かつ、これ以上ないくらい晴れやかで機嫌のよい顔をしていました。

「単に、サバトの連中をぶっ殺せるチャンスを最期に貰えたから残るっていう。ソレだけの話だ」


志願した五十四名の兵士の、大半は家族のいない孤独な兵士でした。

「アレン、俺のタグはお前に預ける。遺言なんざねぇ」

「……確かに、受け取りました」

彼らはそれぞれ、自身のドッグタグと短い遺言を一筆添えて、自分たちに預けました。

家族のあるものは家族へ届けて貰うよう頼み、孤独なものは見晴らしの良い場所に墓を建てて埋葬《まいそう》してくれと言いました。

「少佐。砦には一日分の弾薬と食料だけ、残していってください」

「……一日か」

「この俺が指揮するんです、そんくらい稼いでやりますよ」

その絶望的な戦いに挑む兵士たちの顔は、みな朗らかでした。

士気はむしろ高く、まるで戦勝した後の飲み会の時のような雰囲気でした。

「……」

自分には、彼らの気持ちが全く分かりませんでした。

我々は敗残兵です。こんなところで命を捨てても、きっと誰も称賛してくれません。

勝利も名誉もなく、ただ無残な結末だけが待っている彼らに、どうしてこのような顔ができたのでしょうか。

「オラ最期の酒だ、好きな銘柄を選び放題だ。できるだけ高ェ酒を貰っとけ、野郎ども」

ガーバック小隊長殿は、レンヴェル少佐から受け取った酒箱を志願兵の前で開きました。

彼は既に好物の濃い酒を握りしめ、ほんのり頰《ほお》を赤らめて笑っています。

それはいつか見た、宴《うたげ》の席で気持ちよく飲んでいる時の彼と同じ雰囲気でした。

とても、今日死ぬ人たちには見えません。

「ガーバック小隊長殿。今まで、お世話になりました」

砦を立つ時、自分たちは最後に小隊長殿と挨拶を交わしました。

「……ん。じゃあな」

返ってきた言葉は、それだけです。

それが、自分が聞いたガーバック小隊長の最期の言葉でした。

ガーバック小隊長は自分たちを一瞥《いちべつ》することなく、痛快そうに蒸留酒を呷《あお》るのみ。

彼の心の奥底を、最期まで自分は理解できませんでした。


【九月二十日　未明】

その日の晩は、久しぶりに魔砲攻撃音を聞きました。

振り返ればムソン砦の方で、魔法光が夜空を薄く照らしていました。

戦闘が、始まったようです。

「……」

「トウリ、気になるか」

「アレンさん」

撤退の最中、自分は何度も砦の方角を振り返りました。

我ながら、なぜここまでガーバック小隊長の事が気になっているのか分かりません。

彼は暴力的で威圧的で、恐ろしい人でした。

何度も殴られ、恨みの感情を覚えた事すらありました。

なのにどうして、こうも胸が痛むのでしょうか。

「別れ際、ガーバック小隊長はどんな気持ちだったのでしょうか」

「ん？　そうだな、俺にもよくわからんが」

自分には最後に見たガーバック小隊長の笑顔が、どうしても理解できませんでした。

それなりにベテラン兵士であるアレンさんなら分かるのでしょうか。

そう思って聞いてみましたが、彼はヘッヘッへと曖昧《あいまい》な笑みを浮かべたあと。

「多分、魂を戦場に置いてきちゃってる人だったんだろうな」

「魂を、戦場に」

そう、答えただけでした。

……前世で、聞いた事があります。

軍人は戦後に種々の精神症状……戦争神経症を発症することがあると。

戦場に適応しすぎた人は、『軍人であること』でしか心の安定を保てなくなるのです。

どんなに残酷《ざんこく》な作戦を実行しても、彼らは『軍の命令なので自分の責任ではない』と自分の心に言い訳ができました。

そういった兵士は倫理観や感情を切り離して行動ができたため、往々にして優秀な兵士だったそうです。

「十分すぎる戦果を挙げたくせに、昇進を断って前線に居続けた人だ」

「……」

「小隊長はきっと、前線こそが死場所《しにばしょ》って決めてたんだろうな」

「そう、でしょうか」

そんな彼らは、いざ戦争が終わって日常に戻ると。

戦友と別れ一人になっただけで、戦場に取り残されたかのような錯覚《さっかく》に陥ってしまうそうです。

また、戦争中に行った殺人行為に対する良心の呵責《かしゃく》に耐えかね、殺した兵士からの呪詛《じゅそ》を幻視するようになり、正気を失ってしまうのだとか。

長い間、兵士として塹壕《ざんごう》で命のやり取りを続ける精神の負担は、想像を絶します。

『戦場』に適応しすぎると、平和な日常に戻ることができなくなってしまうのです。

「死ぬってのに楽しそうだったじゃねぇか、ガーバック小隊長」

「……はい」

「きっとあの人は、地獄でも塹壕掘って撃ちあってると思うぜ」

自分は衛生兵でした。マシュデール撤退中に敵を殺傷した他に、誰かの命を直接奪うようなことはしてきませんでした。

だからこそ、理解できませんでした。兵士たちの、自らが軍人でなくなってしまうことに対する、苦悩と恐怖が。

そんな彼らは、きっと軍人として死ぬことでしか救われないのです。

「では小隊長殿は、死ぬのが怖くなかったのでしょうか」

「いや、さすがに怖かったと思う。恐怖より、矜持《きょうじ》が勝っただけだ」

アレンさんはそう言うと、少しだけ顔を伏せて。

「ガーバック小隊長ほどの人だ。酒を飲めばミスが増える事くらいわかるだろう」

「……」

「なのに、あの濃い酒を戦闘前に飲んだ。その意味を考えろ」

アレンさんはそう言うと、後ろで光るムソン砦の方角へ静かに敬礼しました。

「あの人だって、人間なんだ――――」

ガーバック小隊長の率いる五十四名の戦闘記録は、恐らくオースティンに残されません。

生き残って報告するものがいないと、記録に残らないからです。

彼ら五十四名の犠牲は何の栄誉もなく、ただ『撤退中の死傷者』として処理されてしまうのです。

「自分も、敬礼を。偉大なる戦士たちに敬意を」

「ああ」

ならば、この日記でだけでも彼らを讃《たた》えましょう。

多くの命を救うため、自ら命を投げ打ってくださった『戦場に適応しすぎた』兵士たちを。

【紙片が張りつけられている】

《サバト軍第一五三師団・モリュティリフ大隊戦闘記録》

本大隊は敗走するオースティン軍が、ムソン砦に潜伏していることを確認した。

戦術教本に則《のっと》り十二時間の準備砲撃を行った後、ムソン砦に突撃制圧を行った。

その際、敵エース「剣鬼」と思しき兵士と接敵した。

いくら撃ち込んでも銃は効かず同胞数名を斬り殺したが、手榴弾《しゆりゆうだん》で爆殺に成功した。

同胞は喜び勇み、かの悪鬼《あつき》の死肉を切り刻んで軍用犬の餌《えさ》とした。

この悪鬼に殺された同胞も浮かばれるであろう。

報告者　サバト軍第一五三師団モリュティリフ准尉　九・二一

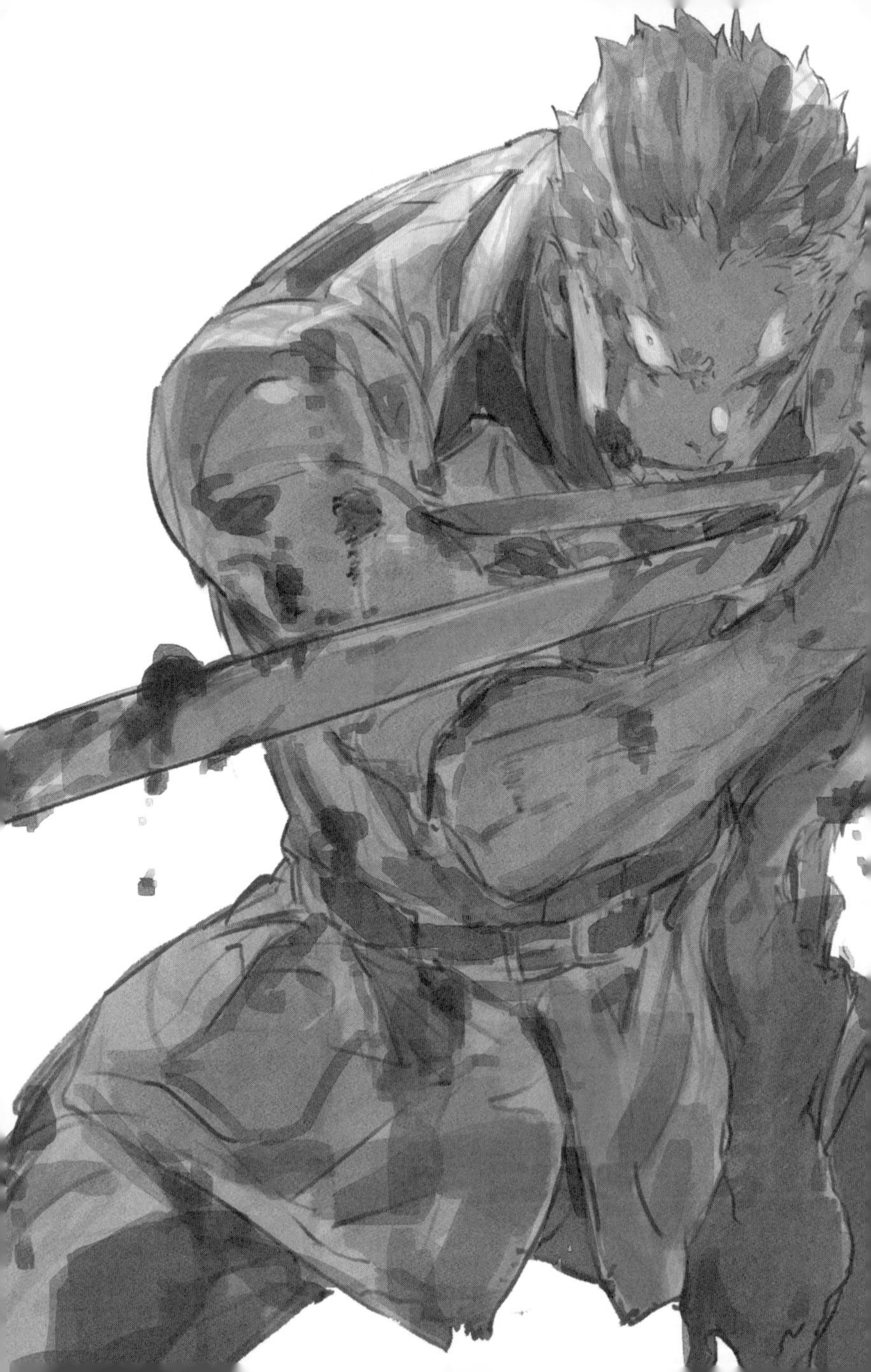

【九月二十二日　朝】

「ウィンだ、ウィンが見える」

「おお……っ」

ムソン砦を後にして、撤退すること二日。

「ついに、帰ってきたんだ」

自分たちオースティン敗残兵は、とうとう首都ウィンへと帰還することができました。

「奴ら結局、ムソンから進軍してこなかったな」

「アイツらが上手《うま》くやってくれたんだ」

我々の降伏が伝わったのか、ムソン砦を越えてからはサバト軍の姿が見えなくなりました。

……ガーバック小隊長含め、砦に志願した五十四名は誰も戻ってきませんでしたが。

「母さん！　母さん！」

「おお、ヨット！　無事だったかい」

ウィンの正門付近には、兵士たちを出迎える数十人ほどの市民が集っていました。

「戻ってこれたんだ！　生まれ育った故郷に！」

「ウィンだ、ウィンの正門だ！　生きてまたここに来られるとは……っ」

兵士たちの家族や知り合いでしょうか。泣き叫んで再会を喜ぶ者、無言で抱き合う者、座り込んで泣く者などいろいろな人がいました。

「……これが首都か。華やかなもんだな」

「そうですね、ロドリー君」

自分やロドリー君は首都出身じゃないため、その感動はわかりません。

マシュデールより栄えている町、という意味では確かに目を見張りますが……。

別に思い入れがある場所でもないので、『よく栄えているなぁ』くらいの感想しか抱けませんでした。

「何か場違いみたいだし、中に入ろうぜおチビ」

「分かりました」

自分たちは感動の再会を邪魔しないよう、ウィンに入りました。

ウィンの正門を潜《くぐ》ると広場があり、人々が並ぶ鉄の関門が目に映りました。

ここは旅商人や傭兵《ようへい》など、首都に入ろうとする者の荷車を検問するスペースらしいです。

「……生き残っちまったんだなァ、俺ら」

「はい」

自分たちは待機を命じられたので、ロドリー君と広場の縁《ふち》に腰かけて座りました。

レンヴェル少佐が「報奨をぶんどってきてやる」と言って先に入ったので、何かもらえるのでしょう。

終戦後の事を考えると、資金か仕事だと有難いですね。

「ロドリー君は、今からどうするおつもりですか」

「故郷へ帰る。……俺の故郷は南の方だから、戦火は及んでいないはずだ」

「そうですか」

終戦後、ロドリー君は故郷に帰省するようでした。

彼は元々南部の農家の生まれで、兄妹も多く、貧しい実家を支えるべく軍に志願したそうです。

「おチビは行く当てあるのか」

「……ええ。クマさんの伝手《つて》を辿《たど》って、医療に携わろうと思っています」

自分はレンヴェル少佐の勧めどおり、クマさんに雇ってもらえないか交渉するつもりでした。

クマさんならきっと、首都でも大きな病院を任されることになるでしょう。

そこで癒者《ヒーラー》として働かせてもらえればと考えています。

回復魔法使いは希少なので、自分の腕でも食いはぐれる事はないでしょう。

余裕があれば、孤児院や野戦病院での知り合いの行方《ゆくえ》も追っていこうと思っています。

「じゃあ、お別れだな」

「そうですね」

思えば、この半年間で一番長く時を過ごした人はこのロドリー君でした。

年も近く話もしやすいので、塹壕ではずっと寝食を共にしました。

故郷も家族も失った自分にとって、今や一番大切な人と言っても過言じゃないでしょう。

「……ロドリー君には何度も命を助けられました。もし自分の力が必要なら、いつでも呼んでください」

「そっちこそ食うに困ったら、ドクポリという村に訪ねてこい。戦友のよしみで、物置と粟飯《あわめし》くらいは用意してやる」

正直なところ、彼と別れるのは少し寂しくありました。

戦友と呼べる人は多いですが、彼以外に『親友』と呼べるような人はいません。

しかし戦争は終わり、ガーバック小隊長は亡くなって、小隊も解散になりました。

自分とロドリー君を繫《つな》ぐものは、もう何もありません。

「……」

思えばたった半年の戦争経験ですが、西部戦線は人生で最も濃密な時間でした。

いろいろなモノを失った代わり、サルサ君にグレー先輩や小隊長殿などから大切なものも貰えました。

彼らの事を忘れず、戦後のオースティンを生き抜いていきましょう。

「またな」

戦場日記として記載をするのは、恐らくこれが最後の一文になります。

自分とロドリー君は別れる前に握手を交わし。

既に散った戦友たちからいただいた宝物を胸に、自分は……。

……。

えっ。

【日付記載なし】

何も聞こえない。何も聞きたくない。

信じられない。そんな事があっていいはずはない。

つい先ほどまでは平和な未来が待っていると、信じていました。

『────親愛なる、臣民に告ぐ』

まさにこの、日記を締めくくろうとしたその瞬間。

広場に流れてきた公共放送を聞いて、自分は思わずペンを取り落としました。

「ん？　何だ、この声」

「公共放送？」

自分たちがウィンに入って半日ほど経ったころ。

荷物の整理を終えて、この日記を付けていた丁度そのタイミングで。

『――我々の想いは、踏《ふ》み躙《にじ》られた』

無機質な声音の公共放送が、首都ウィンの全域へと流れました。

『――前日の昼、忸怩《じくじ》たる想いで差し出した降伏文書は棄却された』

その放送の意味を理解するまで、しばらく時間がかかりました。

さすがは首都、公共放送なんてシステムが整備されているんだなぁなんて呑気《のんき》な感想を抱いていました。

『――敵は既に進軍を再開した、臣民は手に武器を取り、戦闘に備えよ』

しかし、やがてその放送の内容が理解できていくにつれ、ロドリー君が真《ま》っ青《さお》になっていきました。

自分は声も出ず、目を見開いて立ち尽くす事しかできません。

首都ウィンのそこら中から、怒号と絶叫が広がり始めました。

『――我々には、降伏すら認められなかった』


そう。無条件降伏声明が出されてから二日。

本日の正午、サバト連邦がオースティンの無条件降伏を拒否する声明を出したのです。

「降伏拒否ってなんだァ！」

「……」

有り得ないほどの、非道。

頭《こうべ》を垂《た》れて許しを乞うた国を、さらに攻撃するという残虐な行為。

そんな『野蛮《やばん》』が許されるなど、自分の倫理観では理解が追いつきませんでした。

「奴らはまた、攻めてくるってのか⁉　俺たちはまた、戦わなきゃいけねェのか⁉」

「……あ、あ」

自分は茫然《ぼうぜん》とその場にへたり込み、ロドリー君は顔を真っ赤にして激昂しました。

戦争が、まだ続いてしまう。

サバト兵がもうすぐ、自分たちを殺しにやってくる。

そんな恐怖がぐるぐると頭を支配して、自分は目眩《めまい》と共に地に伏してしまいました。

「だったらガーバック小隊長は、何のために死んだって言うんだ‼」

戦争は終わったものと、思い込んでいました。

降伏を拒否されるだなんて、想定すらしていませんでした。

また、戦争が始まる。

自分はその事実に打ちのめされ、茫然自失《ぼうぜんじしつ》に陥ってしまいました。

一九三八年　夏　12

TSMedic's Battlefield Diary

「うーむ」

老人と別れた後、私はホテルに帰り日記の続きを読みふけっていた。

場面はちょうど、オースティンの公共放送でトウリ氏が『無条件降伏拒否』を聞いたシーンだ。

突然にトウリ氏の字体が崩れだしたことから、彼女の動揺が手に取るように分かった。

この公共放送は歴史的に有名だ。オースティンの歴史の教科書にはだいたい、この場面の写真が載っている。

それは当時首都にいた新聞記者が、大通りを見下ろすように撮った一枚。

主都ウィンの大通りで国民が、『無条件降伏が拒否された』という事実の放送と共に暴動が起きている写真。

ウィン市民が嘆き、焦り、慟哭《どうこく》している様子が綺麗《きれい》な構図で捉えられていた。

トウリ・ノエル氏はこの歴史的瞬間にウィンの大通りにいたという。

戦争の脅威を間近に感じるその奇跡の一枚に、彼女が映りこんでいたりするのかもしれない。

私は後で、その写真を見返してみようと胸に誓った。

にしてもなぜ、サバト連邦政府はオースティンの無条件降伏を拒否したのだろうか。

それは歴史においても未《いま》だに解き明かされていない、謎の一つだった。

当時の倫理観からしてもあり得ない非道な判断で、当時のサバト政府は今なお非難され続けている。

一応、当時のサバト政府高官は『無条件降伏拒否』について二通りの釈明《しゃくめい》を行っている。

最初の言い分は「オースティン語の翻訳に誤りがあり、降伏ではなく講和だと受け取ったから」という内容だった。

彼らは『講和』を拒否したのであって、『降伏』であれば受け入れていたというのだ。

しかしこの言い分は、当時のムソン砦《とりで》まで侵攻したサバト軍前線指揮官によって明確に否定された。

なぜなら彼が『無条件降伏の声明が出たので進軍を停止せよ』という上層部の命令を受けたと証言したからだ。

この釈明に非難が集中したため、次は「ムソン砦での迎撃行為があったため、参謀本部が無条件降伏は敵の偽報だと判断した」と主張を変えた。

これも、当時のオースティンの戦況から無条件降伏が偽報だとするのは無理があると突っ込まれまくったが、現在この釈明が正式な当時の首脳の見解という事になっている。

実際のところ、どうしてこういう判断になったかは分からない。

歴史好きの間で幾《いく》つも仮説が飛び交っているが、推測が多く決め手に欠けるのが実情だ。

一番根強い支持があるのは、政府高官が軍事企業から賄賂《わいろ》を受け取ったからだという説だろう。

東西戦争の長期化にサバト国民は不満を抱いていたが、軍事企業からすれば『戦時特需バブル』だった。

武器は作っただけ買い上げてもらえる上、税金から研究費が湯水のように注ぎ込まれる。

軍事企業からすれば、笑いが止まらなかった事だろう。

しかし、シルフ攻勢により東西戦争は終戦に向かってしまった。

巨額の投資をして生産ラインを整えていた軍事企業は、急な終戦に困ったのだ。

そんな彼らから、せめて『在庫を売りさばけるまで戦争を続けて欲しい』という要望があったのではないかという説だ。

確たる証拠はないものの、当時の民衆の多くはこの説を信じていた。

その結果、暴利を得ていた軍事企業の経営者は自宅を襲撃され、一族皆殺しにされてしまったらしい。

当事者が殺されてしまっているので、今となっては説の真偽を確かめる方法はない。

……私自身、この説が割と事実に近い可能性もあると思っている。

後は、シルフ・ノーヴァが戦争継続を希望したからだという説だ。

シルフが「我々は恨みを買いすぎた。オースティン国民が反乱を起こさないよう、口減らしをするべきである」と頓珍漢《とんちんかん》な提言をして、それに軍部が従ったのだという説。

ただ、私はこの説に懐疑的だ。

当時の彼女はブルスタフ将軍の付属品みたいな扱いでしかないはずで、そんな権力は無かったと思われる。

後世の印象から、シルフならそんなことを言い出しても不思議ではないと思われ、出てきた説だろう。

その他は戦争で家族を失って復讐《ふくしゅう》に狂った官僚が暴走した説とか、政府内の権力争いで身内に手柄を立てさせたかったとか、そういう怪しい説はたくさんある。

しかし結局決め手に欠けるので、当時のサバト政府がなぜそんな決断をしたかという理由は闇の中だ。

今となっては、知りようがない。

「……」

私は列車の時間に余裕があることを確認し、次のページへと読み進めた。

トウリ氏の日記を通して、歴史の転換期に触れているという興奮に背中を押されながら。

首都ウィン 1

TSMedic's Battlefield Diary

【九月二十二日　夜】

いったい、何が起こったのでしょうか。

理解できぬまま、自分はペンをとっています。

無条件降伏拒否が放送されてから、自分はロドリー君に手を引かれてウィンの正門から外に出ました。

そこでムソン砦《とりで》の方角を確認すると、ワラワラとサバト兵が展開してくる姿が見えました。

「ああ、見える」

この時ウィンには、ロクな戦力が残っていませんでした。

戦える正規兵は、我々敗残兵を含めても五百名に満たず。

武器弾薬は運び込んでいたものの、銃を撃てる人間は殆《ほとん》どいません。

「我々を殺しに来た、悪魔の軍勢が見える――――」

そんなウィンの市民たちにとって。

遠目に、広く展開されたサバト連邦の正規軍が迫ってくる光景は絶望でしかなかったでしょう。

「逃げ道はない、どこに逃げても一緒だ」

「せめてあの悪魔に、一矢報《いっしむく》いたいものは名乗り出ろ！」

「女子供を逃がす時間を稼げ！」

市民たちの中には勇敢に立ち向かおうとする者もいました。

彼らは武器弾薬を手に取って、我々敗残兵にその扱い方を習いに来ました。

「死ぬときは一緒だ」

「敵が来たら、家に火を放とう」

また全てに絶望し、心中を図ろうとする家族もいました。

彼らは住み慣れた自宅から離れようとせず、楽しい思い出とともに果てる覚悟を固めていました。

「逃げるんだ、地の果てまでも」

「持ち出せるものは全て持ち出せ、絶対に生き抜くんだ」

生きることをあきらめず、行先も定めぬまま逃げようとする家族もいました。

彼らは色濃い絶望を瞳《ひとみ》に浮かべ、手にいっぱいの荷物を抱えて、ウィンの裏門に殺到していました。

そんな喧騒《けんそう》の中、自分はロドリー君に手を握られるまで一歩も動けませんでした。

どこか現実感のない、フワフワとした夢を見ているような気分でした。

「おいおチビ、何をボーっとしてる！」

ロドリー君は、自分の肩をずっと揺らしていました。

彼はいち早く、ショックから立ち直っていたのです。

「呆《ほ》けてる場合じゃねぇぞ！」

一方できっと、自分はさぞ情けない顔をしていたことでしょう。

呆然《ぼうぜん》と目を見開いて、迫りくるサバト兵を眺《なが》めることしかできなかったのですから。

「こんなとこでジッとしてたら、死んじまう！」

「……ぁ」

遠目に、ガーバック小隊長が時間を稼いだムソン砦が見えました。

そのムソン砦を少しづつ、サバト兵が通過している様子が見えます。

その砦は、五十四名が命を賭《か》けて時間を稼いだ場所。

その『決死の覚悟』を不躾《ぶしつけ》に踏み越えてくるサバト兵に、自分は言いようのない悔しさを感じました。

ウィンを踏み荒らされるなら、小隊長は何のために命を落としたのか。

あの日、ムソン砦に残って戦った五十四名の覚悟は何だったのか。

サバト兵はそうまでして、オースティン国民を虐殺《ぎゃくさつ》したいのか――――。

「……」

自分はもう一度、銃を手に取らねばならぬと気づきました。

ガーバック小隊長たちの想《おも》いを、無駄にしないためにも。

祖国や家族を守るため戦った戦友の想いを、守らねばなりません。

小柄だとか女子だとか衛生兵だとか、そんなものは関係なく。

自分は軍人であり、民を守るべき職務があるのです。

「しっかりしろ、おチビ！」

「ええ、ロドリー君」

圧倒的な戦力を前に、恐怖で腕が震えていますが。

自分は必死で強がって、ロドリー君の手を取りました。

「わかっています、自分だって軍人です」

「……」

「ガーバック小隊長のように、民間人のために命を投げ捨てる覚悟だってあります」

自分にはもう、故郷も家族もありません。

死ぬのは怖いですし、本音は遠くに逃げ出したいですけれど。

たくさんの人の想いを、自分は受け継いできているのです。

「そうか、じゃあまず軍と合流しよう」

「……はい」

「レンヴェル少佐の指揮下に戻るぞ」

国のためだとか、民のためだとか、そんな単純な気持ちではなく。

『そういうもの』を守るために死んでいった戦友のため、あの時自分は銃を手に取りました。

グレー先輩やサルサ君、ガーバック小隊長などの死を無意味なものにしたくない。

——もしかしたらあの日、ガーバック小隊長もそんなことを考えていたのでしょうか。


「ウィンに迫りくるサバト兵の数は、数万人だそうだ」

「南部戦線では既に、サバトが攻勢を仕掛けているらしい」

「じきにオースティン全土が、戦火に包まれる」

数時間もすると、生き残った兵士たちが少しずつ正門に集まってきました。

彼らは覚悟を決め、座った眼《め》で銃を構えていました。

「南部戦線でも、攻勢が行われているのか?」

「そう公共放送で聞いたぞ。逃げるなら東の方にしろとさ」

「そうか……」

南部戦線が侵攻されたという噂《うわさ》を聞いて、ロドリー君の顔色が悪くなりました。

彼の故郷は南部のドクポリです。おそらく気が気でないハズです。

「ロドリー君……」

「大丈夫だ、気にすんな。……ウチの家族は勘が良い、きっとうまく逃げてくれる」

自分が声をかけると、彼は青い顔のままニヤリと笑って親指を立てました。

強がっているだけなのが、見るまでもなく分かりました。

「俺たちの仕事は、ここでウィンを守ること。余計なことを考えている余裕はねェ……」

「……はい」

自分は、そう言って震えるロドリー君の腕に手を添えました。

故郷を失う辛さ、悔しさは言葉に表せません。

「どっからでもかかってきやがれ、サバトの悪鬼《あっき》ども！　一人でも多く、地獄を見せてやる」

ノエルが焼かれ、自分が取り乱した時はロドリー君が支えてくれました。

次は自分が、彼を支える順番です。

自分はサバトの大軍に咆哮《ほうこう》するロドリー君の手を、握り続けました。

「帰れ、サバトの悪鬼ども！」

「この人でなしが！　千年呪ってやる、チクショウめ！」

「俺の家族に手を出しやがったら、その時は、絶対に許さねぇェ――――」

サバト軍に叫んでいるのはロドリー君だけではありません。

同じように目を赤く腫《は》らした兵士が、金切り声でサバト兵を罵倒しています。

その怨嗟《えんさ》の声は、いつまでも続くものと思われました、が……。

「あれ……？」

自分の近くにいたある兵士が、妙《みょう》なことを言い始めました。

「なぁ、戦友たち。オイ、おかしくないか」

「え？　どうかしましたか」

目を充血させて怒鳴り続けるロドリー君のすぐ傍《かたわ》ら。

呆然と、その兵士があり得ないことを呟《つぶや》きました。

「サバト軍、減ってきてるぞ……」

「────へ？」

と。

「待て、どういうことだ。ムソン砦に、敵が戻っていってないか」

「サバトの連中、撤退してるぞ」

その光景を当初、自分は正確に認識できませんでした。

しかし確かに、唸《うな》るほどの数のサバト軍に覆われていた平原から、ゆっくり敵が捌《は》けていっていたのです。

「見ろ、間違いねぇ！　退いている！　サバトの連中が退いているぞ」

「オォ、オオォォ……」

主都ウィンが包囲され、死を待つばかりだと絶望していた自分は。

その都合がよすぎる『奇跡』を、素直に信じきれませんでした。

「なんてこった！　なんてこった！」

「嘘《うそ》だ、こんなの、信じられねぇ！」

こんなのは、都合の良い夢だ。

現実を受け入れられない自分の、妄想の産物だ。

そうとしか思えない、あり得ない展開────。

「皆！　とんでもない朗報がウィンに届いたぞ！」

「な、なんだ？　どうしたってんだ、オイ！」

間もなくがなり声で、ウィン市内から作業服の男が駆け込んできました。

彼は目を輝かせ、満面の笑みで我々兵士に『公共放送』の内容を届けました。

「南部戦線で、オースティンが快勝したそうだ！」

徐々に、歓声が大きくなっていきます。

やがてウィンの町のそこら中から、地鳴りのような叫び声が轟《とどろ》きました。

「敵は補給線を断たれ、退くしかなくなったらしい!!」

「オースティン南軍が、すべてをひっくり返してくれた！」

「やったァァァァ!!」

……その朗報を聞いて、頭が真っ白になりました。

一九三八年 夏 13

TSMedic's Battlefield Diary

その日のトウリ氏の日記は、ここで終わっていた。

無条件降伏が拒否され絶望に沈んだ直後、『オースティン南部戦線の勝報』がもたらされてウィンはお祭り騒ぎになったそうだ。

おそらく彼女も歓喜の輪に加わっていたのだろう。

この日はオースティン史に残る、喜びの一日になったに違いない。

しかし、この南軍の快勝はオースティンにとっては僥倖《ぎょうこう》に違いないが…………。

ここで『勝ってしまった』ことにより、戦争はより深い混沌《こんとん》へと沈んでいく事になった側面もある。

少なくともサバトに無条件降伏が受け入れられていたら、もっと多くの命が助かったはずだ。

そしてシルフ・ノーヴァも、後世でここまで悪評を受ける事もなかっただろう。

今は『史上最低の愚将』と揶揄《やゆ》されるシルフも、この時点では何も失策を犯していなかった。

なのでむしろ、サバトでは『救国の聖女』として語り継がれていたに違いない。

そういう意味では、彼女も歴史の被害者なのかもしれない。

――何にせよ、サバト政府高官は大きな過ちを犯した。

窮鼠《きゅうそ》猫《ねこ》を噛《か》むという格言もある。

いかに優勢であっても、サバト連邦は決して敵を侮るべきではなかった。

「……」


オースティン南軍勝利の逸話は、有名だ。

もともと南部戦線において、サバト軍は攻勢に出る事を熱望していた。

サバト南軍の前任指だったエーヴェムは、シルフ攻勢を『あり得ぬ作戦』と考え、死罪になる覚悟で攻勢に参加しなかった。

結果としてシルフ攻勢は大成功を収めてしまい、自らの不明を恥じた彼は自ら職を辞した。

そのエーヴェムに代わり南軍指揮官となった男はニヴェムといった。

彼は野心的な指揮官で、着任直後から攻勢を熱望し続けたらしい。

西部戦線から内地に侵攻したサバト軍が戦果を挙げる中、指をくわえて見ているのが悔しかったのだろう。

彼は参謀本部に、以下の主張を繰り返した。

――無条件降伏を宣言した直後なので、オースティン軍は油断しているに違いない。

――オースティンに既に戦意はない、赤子の手を捻《ひね》るより簡単に勝てるだろう。

ニヴェムは熱弁を振るい、何度も攻勢計画を提出した。

やがてその熱意に負けたのか、参謀本部は彼に攻勢を許可してしまった。

こうして意気揚々《いきようよう》と、ニヴェムは最新の『多点同時突破戦術』を用いた攻勢を準備した。

恐らくこの『画期的な戦術』の威力を確かめる、実験の意味合いもあったのだろう。

サバト軍はシルフの論文どおりに短い準備砲撃の後、息もつかぬまま突撃を敢行したそうだ。

すると予想どおりに、オースティン軍は総崩れとなり塹壕《ざんごう》を破棄して大慌てで逃げ出してしまった。

戦力差もあって、士気もけた違い。サバト軍に負ける要素は何もなかった。

シルフ攻勢と全く同じ展開、そして全く同じ戦果。

塹壕を放棄して逃げるオースティン軍の先には、たっぷり食料物資を蓄えたオースティン村落がある。

サバト兵はオースティン内地での略奪や、蹂躙《じゅうりん》、そして宴会という戦場の『ご褒美』に胸を高鳴らせていただろう。

戦闘開始から数時間も経《た》ったころ、サバト南軍はシルフ攻勢の時のように、全ての塹壕をあっさり突破できた。

そしていよいよ、周辺の村落へとなだれ込もうというタイミングで――――。

「そろそろ良いんじゃないです?」

「ああ」

敵の攻勢をじっくり待ち構えていた南部オースティン部隊から、集中砲火を浴びたのだった。

サバト連邦にとって不運なことに、オースティン南軍には一人の獅子《しし》が眠っていた。

それはオースティン史に燦然《さんぜん》と名を残す、『救国の英雄』ベルン・ヴァロウだ。

歴史の転換期には、運命に導かれるように非凡な才能が頭角を現す事がある。

ベルン・ヴァロウという青年将校は、まさに時代の寵児《ちょうじ》と呼ばれるにふさわしい英雄だった。

このベルンという将校は、士官学校をそれなりの成績で卒業し、参謀将校として働くことを許された『ソコソコ優秀』程度の人材だった。

しかし彼は就職後すぐ参謀としての資質を疑われ、『書類事務』に左遷させられてしまった。

その理由が、一年も前にシルフ・ノーヴァと全く同じ『全戦線における多点同時突破作戦』を提案し、現実的な作戦立案ができない参謀将校という烙印《らくいん》を押されたからだった。

ベルンは事務職に左遷されても文句を言わず、黙々と南部戦線の事務係をこなし続けた。

理解してもらえないなら仕方がないと、諦めていたらしい。

しかしシルフ攻勢の『多点同時突破戦術』の内容が知れ渡ったことが、契機となった。

アンリ大佐はシルフ攻勢の内容を聞いてすぐ、ベルン・ヴァロウの事を思い出したのだ。

ベルンの提案した作戦を理解して実行していれば、一年も前にオースティンが同じことをできたはずだった。

アンリ大佐はすぐさまベルンを呼び出して、今までの非礼を詫《わ》びたという。

そして腰を低く教えを乞うように、「何とかここからサバトに勝つ手段はあるか」とベルンに問うた。

するとベルンは朗らかな笑みを浮かべ、「いくらでもありますよ」と答えたそうだ。

……智謀《ちぼう》が抜きん出ていたが故に、理解されず燻《くすぶ》っていた怪物ベルン・ヴァロウ。

サバトにとって最大の不幸は、シルフ攻勢により青年ベルンの価値をオースティンが正しく認識してしまったことだ。

アンリ大佐から相談を受けたベルン・ヴァロウは意気揚々と逆転の策を提案した。

それはいわゆる『釣り野伏』という戦略で、あえて敗走し敵を誘い出して集中砲火する作戦だった。

この作戦は見事にはまった。

ベルン・ヴァロウはサバト軍が『多点同時突破戦術』を取ってくると確信していた。

シルフ攻勢ほどの成功体験を得て、サバト軍の参謀が新しい戦略《おもちゃ》で遊ばないはずがない。

そしてベルンは過去に立案していたが故、『多点同時突破戦術』の弱点も知り尽くしていた。

塹壕戦に正解はないのだ。ジャンケンのように、読み合って戦う必要がある。

多点同時突破戦術は『一点突破に備えた防御ドクトリン』を形成している軍に対し有効なだけであって、最強無敵の戦術ではない。

奇襲性・即攻性がキモとなる作戦なので、敵に下がって待ち伏せされるとその作戦は効力の大半を失ってしまう。

ベルンがやったように兵を引かれ、キルゾーンに誘導されてしまえば、一転して窮地に陥ってしまうのだ。

「[redacted]！！？」

「[redacted]!!」

サバト軍指揮官ニヴェムは罠《わな》に嵌《は》められたことを悟り、すぐさま撤退を指示した。

前進命令と撤退命令が交錯し、前線のサバト兵は右往左往の大混乱に陥った。

「多点同時突破戦術のキモは『即攻性と奇襲性』にあるんだったよね」

そしてここからが、ベルン・ヴァロウの真骨頂《しんこっちょう》。

決定的好機を逃さず叩《たた》く事において、ベルンの右に出る者はいない。

「じゃあ今こそ、使いどころでしょ」

彼は敗走しているサバト部隊を目掛け、多点同時突破戦術をカウンターとして仕掛けたのだ。

それは、まさしくシルフ攻勢の焼き直しとなった。

身を隠せない平原で集中砲火をあびた敵は、混乱と共に壊走してしまい。

サバト兵は防衛線の殆《ほとん》どを突破され、各個包囲殲滅《せんめつ》されていった。

結果、シルフ攻勢の時と攻守が入れ替わる形でに、南部戦線の殆どをオースティンが掌握した。

……これは戦争を振り出しに戻すのに、十分な戦果だった。

サバト南軍は死傷者を合わせ、四万人強と記録されている。

そんな損害が出て、戦線を維持できるはずがない。

「アンリ指揮官、次どうするか分かってますよね」

「ああ、無論」

首都を占領《せんりょう》しようと集っていたサバト軍からすれば、まさに悪夢だっただろう。

政府が、無条件降伏を拒否したばっかりに。

サバト軍南部方面の指揮官が、余計な張り切りを見せたばっかりに。

「このまま北上して、敵の補給線を叩く」

自分たちの兵站《へいたん》線が、オースティン南軍に狙われ放題となってしまったのだ。

この時サバト軍は十分な補給線を構築しながら進んでおらず、速度重視で細い補給線を頼りに切り込んでいた。

もし補給線を絶たれたら、敵地オースティンの真ん中で孤立してしまう。

武器弾薬が尽きれば、全滅もありえる。

とてもじゃないが、ウィンの攻略を続けられる状況ではなかった。

こうしてサバトは無条件降伏を拒否しておきながら、首都から撤退するしかなかったのである。

サバト政府は殆ど手中に収めていた勝利の二文字を、あまりの愚かさで手放した。

この失態は恨みを買いすぎて、当時の政府高官の殆どがサバト国民に寄って処刑されたそうだ。

そしてオースティン軍に現れた『真の天才』が、侵略国家サバト連邦に牙を剝《む》く。

滅亡寸前だったオースティンは、一人の怪物によって息を吹き返していくのだった。

……だが、それが真に良い事だったのかは分からない。

ここでオースティンが息を吹き返してしまったからこそ、戦争犠牲者の数は膨れ上がってしまった。

もしもサバトが降伏を受け入れて入れさえすれば、もっと多くの人命が助かっていただろう。

降伏を拒否され、「このまま殺されるくらいなら」と最後の一人になるまで戦う決意を固めたオースティン国民。

殆ど決していた勝勢を覆され、不満が爆発寸前の国民に対し「負けました」と言うわけにはいかないサバト政府。

お互いに負けることができなくなってしまった戦争は、やがて総力戦と呼ばれる「国を維持できなくなるまで、人命をすり潰しあう」戦いへ発展していった。

まさに、愚の骨頂。

しかし当時の両国には、それを理解できるだけの余裕も文化もなかった。
戦争を仲介するストッパーもおらず、戦死者の数だけが加速度的に増えていく。
本当の地獄が始まったのは、きっとベルン・ヴァロウが世に出た瞬間だった——。

首都ウィン 2

TSMedic's Battlefield Diary

【九月二十三日　昼】

昨晩は実に、大変な乱痴気騒ぎに巻き込まれました。

首都ウィンの国営放送で『無条件降伏が拒否された』という情報が流れ、街はパニックになった直後。

なぜか敵軍は撤退していき、南部オースティン軍が劇的に勝利したという戦報が首都ウィンに届いたのです。

絶望から一転して見えた希望はひとしおで、自分はロドリー君と肩を抱き合って喜びあいました。

「飲めや歌えや」

そんな状況で、民衆たちが落ち着くはずもなく。

結局、その日は住民たちがお祭り騒ぎを始めてしまい、それに巻き込まれる形で自分たちも首都の民と喜びを分かち合いました。

お酒なんて飲めないのに自分はワインを引っかけられましたし、ロドリー君はなぜかトマトをぶつけられていました。

軍服がドロドロになった後は、親切な民家で水場を借りて全身を洗うことができました。兵士だったからか、とても親切にしていただけました。

……しかし、そんな浮かれた空気もつかの間です。

夜が明けると、我々オースティン軍兵士は朝から装備の点検を始めていました。

戦争はまだ続いています。サバトにより、続けざるをえなくなったのです。

「お前らは、実によく戦ってくれた」

我々には拠点として、首都内の士官学校の施設が貸し出されることになりました。

これからは士官学校内の講堂に雑魚寝《ざこね》する形で、夜を過ごすことになるそうです。

「我々がマシュデールで奮戦していなければ、きっと首都は火の海だっただろう。我々は、英雄なのだ」

我々は講堂に集合した後、レンヴェル少佐から今後の方針の説明を受けました。

「しかし、我々の戦いはまだ終わっていない。いや、戦争はこれからが本番なのだ。憎きサバトの連中を、この国から追い出して、我らがオースティン同胞の安全を保証できるその日まで、我々の闘争は終わらない」

「「はい、少佐殿」」

「政府は、全力で我々を支援してくれるそうだ。手始めに減ってしまった人員を確保すべく、首都で募兵が開始されている」

「……」

「我々の新たな仲間が、間もなく配属されてくる。各員気を引き締めて、その指導に当たってほしい」

レンヴェル少佐は講堂の中、声を張り上げて自分たちに訓示を続けました。

「我々は一週間後、この首都ウィンを出立《しゅったつ》する。憎きサバトの悪鬼《あっき》どもへ、いよいよ反撃を行うのだ」

……話をまとめると、自分たちは一週間ほどウィンで徴兵した後、先遣《せんけん》部隊として出撃するのだそうです。

その後、オースティン南軍と連携してサバト軍を攻撃し、撃退していく方針なのだとか。

「配属されてくる新兵は、素人《しろうと》だらけになると予想される。まともに使える人材は、殆《ほとん》どいないだろう」

「「はい、少佐殿」」

「実戦を経験したお前たちが、それをまともな戦力として育て上げろ。後輩育成も、貴様《きさま》らの重要な職務だ」

そして自分たちには、後輩を教育する役割が与えられました。

思えば半年前。

自分はガーバック小隊長殿にボコボコに指導を受け、アレンさんやグレー先輩から話を聞き、兵士として成長していきました。

その若手を教え導くという役割が、早くも回ってきたのです。

「編成が固まり次第、お前たちに任を下す。今日、ここに生き残ったお前たちこそ、我が新生レンヴェル軍の主力となるのだ」

「「はい、少佐殿！」」

「恐らく、編成が完了するのは三日後になるだろう。なので今日、明日はゆっくり休養を取るといい。家族に会いに行くもよし、戦友と街に繰り出すもよし。人生最後の休日になるかもしれんから、心残りの無いよう全力で楽しめ」

そういうとレンヴェル少佐は、ドンと大きな金貨袋を地面において、

「政府からの特別褒賞だ。喜べ、ブン取ってきたぞ、大金を！」

「「おお！」」

「せっかくの、貴重な首都での休暇。俺の部下たちに『金がなくて十分に楽しめなかった』なんて無様《ぶざま》な思いをさせる訳にはいかん。さあ順番に並べ、お前たちは今日豪遊できるだけの働きをしてくれたのだ、遠慮はいらん！　たっぷり持っていけぇ‼」

物凄《ものすご》い笑顔で、その両手に金貨を摑《つか》み取《と》ったのでした。

「……褒賞は半年分の給与、か。一度に貰《もら》えると凄い額だな」

「自分たちは若手で少なめとはいえ、結構な額になりますね」

そんな訳で我々は、二日間の休養を言い渡されました。

たった二日で使い切るのは難しそうな額の金貨を、袋に入れて手渡されて。

「アレンさんは、休暇は何かすンですか？」

「親に顔を見せに行こうと思ってる。奇跡的に生きて帰れたんだ、親孝行しないと」

「ああ。アレンさんは、首都出身だったんですね」

首都出身の兵士たちは、皆家族に会いに行くつもりのようです。

今度こそ生きて帰って来られる保証はないですし、それはそうでしょう。

家族が生きているなら、少しでも幸せな時間を過ごしていただきたいものです。

「ロドリー君はどうするつもりです？」

「そうだな。俺ァ、まずヴェルディ伍長《ごちょう》の見舞いに行こうとは思ってるが」

「おお、自分も行きたいです」

ロドリー君は、今から首都の中央病院に向かうようでした。

我々の負傷した戦友は、その病院に収容されて治療を受けているそうです。

ヴェルディ伍長には普段からお世話になっていますので、見舞いには行っておくべきでしょう。

「なら、俺もご一緒しようかね」

「アレンさんも来られますか」

「戦友だって、大事な家族だからな。無事な顔を見た方が、寝覚めも良い」

と、いう訳で。

人生最後かもしれない休日は、お見舞いから始まったのでした。

もしヴェルディさんが重傷で、面会謝絶ならどうしようかなと思っていたのですが。

「おお、皆さんご無事でしたか。大事な時に負傷撤退してしまい、申し訳ありません」

病院に行って面会の許可を求めると、ヴェルディ伍長にはあっさり会うことができました。

彼はもうほぼ完治しており、明日には退院できる状態だそうです。

「お元気そうで何よりです、ヴェルディ伍長」

「トウリちゃん、ありがとうございました。貴殿の迅速《じんそく》な判断のおかげで、一命をとりとめることができました」

「……正直、自分の前に運ばれてきた時は見捨てようか迷うくらいに重傷でした。助かってよかったです」

「う、結構瀬戸際だったんですね、私」

今でも、血反吐《ちへど》吐《は》きながら前線医療本部に運ばれてきたヴェルディさんの姿はよく覚えています。

全身が浮腫《むく》んでショック状態でしたが、緊急手術すればギリギリ救命できそうだったので、半ば賭《か》けるように後方に送った気がします。

「本当に悪運が強いな伍長。九死に一生を得たの、これで何度目です？」

「伍長はちょっと不注意なんスよ。敵の視線を感じたらすぐ屈《かが》まないとダメっス」

「ははは、返す言葉もない」

見舞への途中で購入しておいたケーキを手渡すと、伍長は苦笑して受け取ってくれました。

何にせよ、無事でよかったです。

「私はやはり、前線には向いていない人間みたいですね」

「いきなりどうした、伍長?」

「ロドリー一等歩兵の言ったとおりです。自分にはどうも、注意力が足りないらしい」

「……あ、その」

ロドリー君はばつが悪そうに眼《め》をそらしました。

そんな彼を見て、ヴェルディさんは笑ったまま気にしていないと手を振りました。

「叔父上《おじうえ》からのお達しで、私は昇進することになりました。マシュデール撤退戦での功績を評してと言われましたが、ご存じのとおり私は何もしていません。ただ、撃たれて撤退しただけの役立たずでした」

「……」

「叔父上も、私の無能が分かったのでしょう。だから多少強引に昇進させて、私を前線から引きはがしたのです」

ヴェルディさんはそこまで言うと、面目なさそうに眉をハの字にし、やがて頭を下げました。

「これから私が、直接皆さんの力になれる機会は無いようです。……申し訳ありません」

それは、薄々自分も感じていたことではありました。

運が悪かったといえばそれまでですが、ヴェルディ伍長は咄嗟《とっさ》の事態で動けず負傷することが多く、あまり優秀な歩兵とはいえませんでした。

ロドリー君とかは危機を感じると凄まじい反応速度を見せるのですが、ヴェルディ伍長は頭が真っ白になって固まってしまうタイプのようです。

彼がこれ以上最前線にいたら、いつ死んでも不思議ではありません。

そもそもヴェルディ伍長は、参謀将校になる過程として歩兵を経験しただけです。

本来は後方で、ふんぞり返っている側の人なのです。

「昇進おめでとうございます、伍長。アンタが何も謝ることはありませんぜ」

「……ですが」

「伍長が偉くなったなら、俺もたくさん自慢できますから。あのお偉いヴェルディ様の尻を蹴飛ばして、指導してやったのは俺だってね」

「それは。……間違いありませんね」

しかしヴェルディ伍長からすれば、ばつの悪い話でしょう。

早々に負傷撤退しておいて、自分だけ昇進するなんてという負い目を感じても仕方ありません。

「あと、貴方《あなた》たちも少し階級が上がると思います。野戦任官というやつですね」

「おお、そうなのですか」

「本来、その階級であるべき兵士が殆ど死傷してしまいましたから。欠員を補充するために、アレンさんは小隊を一つ任されると思いますよ」

「へぇ、そりゃ凄い。ついに、アレン小隊が結成されちまうってわけですかい」

昇進するのはヴェルディ伍長だけでなく自分たちもだそうです。

まぁ、シルフ攻勢で主要な軍人のあらかたが殺されてしまいましたからね。

自分やロドリー君のような新兵でも、貴重な実戦経験者という事になるのでしょう。

「それでは、これにて。私は、貴方《あなた》たちの今後の活躍を願っています」

「ああ、またなヴェルディ伍長様。もしスゲェ権力を握ったら、こっそり美味《うま》い酒をアレン小隊に回してくれよ」

「それは……できかねます、ね」

そういって我々は、伍長と最後の握手を交わしました。

「今までありがとうございました、ヴェルディ伍長」

そして、すこし寂しそうな顔をしているヴェルディ伍長を背に。

自分たちは、ゆっくりと病院を後にしたのでした。

「ありゃ？　おーい先輩！」

……病院を、後にしようとしたのですが。

「ほら、こっちこっち！　おーい、聞こえてねぇのか？　トウリ一等衛生兵殿ぉ！」

どこからともなく、自分の名前を呼ぶ奇怪な声が聞こえます。

これはいったい、どうした事でしょうか。

「おい、呼ばれてるぞトウリ」

「……。そうですね」

軽くため息をついて声の方向に向き直ると、そこには、

「おお、やっぱり先輩じゃねぇか。会えて嬉《うれ》しいぜ、俺の見舞いに来てくれたのか？」

「……ええ、まぁ、そんなところです」

髪の長い女性に抱きかかえられた、両足の無い垂れ目のオッサンが自分に向けて手を振っていたのでした。

「ああ、紹介するぜ。俺の家内のクーシャだ」

「貴女《あなた》がトウリさんですか。ウチのアホ旦那が世話になったみたいで、ホンマありがとうございます！」

声をかけられてしまったので近づいていくと、ゴムージが満面の笑顔で自分を迎えてくれました。

隣には線の細いハキハキした女性と、ボーっと彼女のスカートの裾を掴んで自分を眺《なが》めている幼児がいました。

「ママー、誰？」

「パパのお友だちや」

「いやー、マシュデールの時は本当に助かったぜ。先輩は命の恩人だ、こうして家内と会えたのもアンタのお蔭《かげ》さ！」

ゴムージの奥さんは、思ったより美人でした。吊《つ》り目で気立てがよさそうな、少し言葉

に訛《なま》りのある女性です。

　コイツが結婚していたという話、本当だったんですね。こんな男が、どうやってここまで可愛《かわい》い人を捕まえたのでしょう。

「ゴムージ、特に恩に感じる必要などはありませんよ。先輩が後輩を守るのは、軍人として当たり前のことです」

「ほらみろ、謙虚《けんきょ》なもんだ。兵士ってのはこうじゃなきゃいけねぇ、権力を盾にイバり腐る連中とは大違いだ」

「……はあ」

「先輩ほどデキた人間を俺ぁ見たことがねぇ。息子がもう少し大きけりゃ、土下座して嫁に来てもらうところだぜ」

　ゴムージは軽やかな口調で、快活に美辞麗句《びじれいく》を並べてきました。

　……マシュデールでは、自分に対して散々クソガキだのなんだのいって命令無視したくせに。

　まったく、調子の良い男です。

「先輩、俺ぁこの足だ。退役って形で、戦わなくていいことになった」

「まぁ、そうでしょうね」

「だもんで、俺は家内を連れて安全な場所に避難するつもりだ。幸いにも退役金として結構な額が貰えてな、その金を元手にどっかで商売でも始める予定」

どうやら彼は、軍を辞めた様子でした。

彼のまったく信用ならない性格からしても、それで正解だと思われます。

にしても敵前逃亡した身で退役金まで貰えるとは、本当に運が良い。

ガーバック小隊長が血迷ってゴムージを『逃亡兵』ではなく、『遭難兵』扱いで小隊に復帰させたからでしょう。

「てな訳で、俺はもうすぐウィンを離れるんだが……。ま、ここで会えたのも良い縁だ」

「はあ」

「おいクーシャ、例のチケットあったろ。先輩に、渡してやっちゃくれないか」

そんなゴムージが自分を呼び止めた理由は、何やらプレゼントをもらえるようです。

……いったい、何をくれるつもりでしょう。

「あー、アレね。まあ確かに、命の恩人ならしょうがないわ」

「チケット、ですか？」

「ああ、家内が見に行く予定だった劇場のチケットさ」

そういって手渡されたのは、何やら豪勢な装飾のチケットでした。

劇場……、なるほど。首都には、そんな娯楽もあるのですね。

「聞いてくれよ先輩、この女は俺がマシュデールで死にかけてる時、暢気《のんき》に劇場のチケットを予約してやがったんだぜ」

「だってせっかくの首都やし、楽しまな損やろ」

「普通、旦那を心配して食べ物すら喉を通りませんとか、そういう感じになるもんじゃねえの？　なんで当たり前のように観光してやがるんだ」

「だって臨時収入あったし」

「俺が徴発された保証金だろうがそれはぁ‼」

「ちゃうわ、粗大ごみ《ゴムージ》の回収金や」

ゴムージの奥さんはあっけらかんと、そう言って笑っていました。

旦那が死にかけている事を、意にも介さぬその胆力。

なるほど、実はお似合い夫婦なのかもしれません。

「明日の公演のチケットだが、俺たちはもう今日中に出発する予定だ。家内は残って劇が見たいと寝言をほざくが、もう俺は一秒でも危険な場所にいるつもりはねぇ」

「まぁ、いつサバト軍が引き返してくるか分かりません。なるべく早く、奥地に避難すべきでしょう」

「だからこのチケットは、とっとと路銀がてら売りさばくつもりだったが……。先輩は、まだ首都に残るんだろ？」

「ええ」

「だったらやるよ、コレ。かなりの人気劇団らしいぜ。知り合いに売ろうが、自分で見に行こうが好きに使ってくれ」

　ゴムージはそう言うと、苦笑しながら二枚のチケットを手渡してきました。

「大人一枚、子供一枚。中途半端なチケットですまんな先輩」

「いえ、ありがとうゴムージ。ちょうど、明日まで休暇をもらって予定も無かったところです」

「おお、そりゃ丁度良かった。十五歳までなら子供で通るから、誰かもう一人誘って楽しんできな」

それは、ゴムージなりの誠意だったのでしょう。

彼の性格からして、金銭になるモノを無償で手放すなど考えにくいです。

「俺ぁ内心、ヘマをして足を失ったあん時、先輩に見捨てられるに違いねぇって覚悟してたんだ」

「……」

「本当に感謝してる、こんなしょぼいモンで恩を返せたってつもりはねぇ。また何か困ったことがあったら、いつでも力になるぜ先輩。こう見えて俺は、一度受けた恩は絶対忘れねぇんだ」

そう言うと、ゴムージという男は奥さんに背負われたまま、

「アンタの無事を、心の奥底から祈ってるぜ、先輩」

そう言って自分と、握手を交わしました。

「ゴムージと話は終わったのか」

「ええ。まぁ、相変わらず煩《うるさ》い男でした」

こうして二枚の劇場のチケットを手に、自分はロドリー君のもとへ戻ってきました。

ゴムージは戦火の届かぬ、サバト方向と対極の都市まで逃げるつもりのようです。

きっともう自分は、生きて彼に会うことはないでしょう。

「彼から貢物《みつぎもの》をいただきました」

「へぇ、良かったじゃねェか。って、何だそのチケット」

「人気劇団の、公演チケットだそうです。ただこの状況で劇場って、運営してるんでしょうか」

「さーな。……やってなさそうだが、昨日のお祭り騒ぎを見てると再開してる可能性はあるかもな」

最後までいろいろと胡散臭《うさんくさ》い男でしたが、あんな男にも家族がいました。

奥さんや子供さんは、足を失ったゴムージですら嬉しそうに抱きかかえていました。

自分の判断は、彼女たちの笑顔を守ることができました。

あの日、自分が多少無茶をしてでも彼を助けた事に、ちゃんと意味はあったのです。

「ねぇ、ロドリー君。このチケット、二枚組なんです」

「あ?」

それが分かって、ほんの少しだけ、

「良ければ明日、自分とデートしませんか」

「え」

少しだけ、嬉しい気持ちになったのでした。

一九三八年　夏　14

TSMedic's Battlefield Diary

日記をそこまで読んだ後。

私は激しい動悸と頭痛に襲われ、立っていられなくなっていた。

日記の中に、私がいた。

間違いない。クーシャのスカートの裾を摑《つか》み、ぼんやりとトウリ氏を眺《なが》めていた幼児は幼少期の自分だ。

やはり私はトウリ氏と、面識があったのだ。

勘違いではない、その確信があった。

その時の記憶が、フラッシュバックしてきた。

記憶の果て、朧《おぼろ》げながらその光景は浮かび上がってきた。

凄《すさ》まじい人ごみの中、母のスカートの裾を摑み、私はぼんやりと立っていた。

都会の喧騒《けんそう》の中、父が誰かと話をしていた。

写真の少女……トウリ氏が、私の前で父と会話をしていた。

二人が、何を話していたかは覚えていない。

だが間違いない、私はこの日トウリ氏に出会っていた。

そして、彼女と出会ったのはこの日だけじゃない。

もっと深く、彼女と関《かか》わった記憶も残っている。

それはいつだっただろう。

思い出せない、だが確かに覚えている。

彼女の優しくもはかなげな笑顔が、鮮烈に瞼《まぶた》に焼きついている――。

『セドル君、いいですか』
記憶の中の彼女の声が、頬《ほお》を掠《かす》めた。
ここはどこだろうか。自然に囲まれた田舎《いなか》の村落？
泥遊びをする私を、写真の少女……トウリ氏が見つめ微笑《ほほえ》んでいた。
『それはとても危ないものです。まだ飲んではいけません』
『[redacted]？』
『ええ、そうです』
彼女はそう言って優しく諭すと、私から何かを取り上げた。
私はつまらなそうな声を上げ、トウリ氏に反抗しようとする。
『拗《す》ねないでください。代わりに抱っこしてあげますから』
『[redacted]』
『はいはい、分かっていますよ』
彼女はまるで私を、母親のように世話してくれている。
こんな記憶を、私は知らない――。

気づけば、夜になっていた。

日記を読んでからまた、気を失ってしまったらしい。

今日の列車で帰らないと職場に間に合わないというのに。

きっとまた、叱られてしまう。せめて、今日中に連絡を送らねば。

何とか起き上がってみると、私は全身に汗をかいていた。

立ち眩《くら》みも凄いし、吐き気もする。

……もしかしたら、本当に風邪《かぜ》を引いたのかも知れないな。

そんな事を考えながら、私は日記を置いて宿の受付へと向かった。

「セドルさん、今日チェックアウトじゃなかったんですかね」

「すみません、体調を崩していて」

「そうだと思ったよ。だから、追い出さないでやったんだ」

宿屋の受付は、そう言うと無言で私に手を差し出した。

今日の宿泊費を払えと言う事だろう。

「ありがとうございます」

「ふん、分かってるじゃないか」

迷惑をかけたので少し多めにチップを支払うと、受付は機嫌がよさそうに笑った。

これから勤め先に連絡を入れてもらうのだ、チップは惜しまぬ方がいい。

「それと、電報を依頼したいのですが」

「ああ、分かった。既にアンタ宛のメッセージを幾《いく》つか預かってるよ、読んでからにするかい」

「……でしょうね」

本来であれば、今日の夜に社員寮に戻って明日から出社するはずだった。

未《いま》だ帰らぬ私を心配し、会社から連絡が来ているのだろう。

「一つ目は……これはあんたの会社かね？　『このメッセージを確認し次第、早く安否を知らせよ』とさ」

「ええ、了解しました。……一つ目という事は、二つ目もあるのですか」

「ああ、もう一つ預かってる。これは個人からだね」

会社からのメッセージは、予想どおりだった。

とりあえず早く事情を説明するため、返信を送らねば。

ただ、他にも電報が来ているのは意外だった。

私が帰らぬことを聞いて養母あたりが送ってきたのだろうか。

「メッセージの内容を聞かせてくれますか」

「ああ。『手を引け、忘れろ』だと」

「はい？　どういう意味です」

「俺が知るもんかね」

私はその電報の意味不明さに、目が点になった。

電報を送るには、かなりの金がかかる。

馬鹿にならない金を掛けてまで、誰がそんな馬鹿みたいな電報を送ってきたのか。

「電報の差出人は？」

「……ああ、えっと」

私が怪訝《けげん》な声で聴き返すと、宿の受付はつまらなそうに差出人の名を私に告げた。

「トウリさん、って人だ」

TS衛生兵さんの
戦場日記II

あとがき

どうもお久しぶりです、まさきたまです。この度は拙作「ＴＳ衛生兵《えいせいへい》さんの戦場日記《せんじょうにっき》Ⅱ」をお買い上げいただきましてありがとうございます。

一巻目では想像以上にたくさんの方からご声援をいただけまして、このように二巻目を出版させていただくことが叶いました。作者として冥利《みょうり》に尽きるところです。

一巻が本になった時点で「子供のころからの夢が叶った」と大はしゃぎしていたのですが、夢の続きをまだ見れることが幸せでなりません。

実は、この二巻の範囲である「マシュデール撤退戦」は本来描く予定のない場面でした。ジリジリと敵に侵攻され敗北する展開は、読んでいて面白くないだろうと思ったのです。では何故この地味なマシュデール撤退戦を描いたかと申しますと、当時の私が精神的に追い詰められていたからでした。

実は当時いただいた感想に、「これ成り上がってるか？」というご指摘がありました。

一巻末でも触れましたが、本作のＷＥＢ版タイトルは「ＴＳ衛生兵さんの成り上《なあ》がり」です。なのに、書籍一冊分読み終わってもトウリが全く成り上がっていません。

こんな有様では、その読者様のご指摘も当然と言えたでしょう。

タイトル詐欺《さぎ》で読者を釣ったと言われても仕方がありません。

――――せめて、主人公を活躍くらいはさせないと。

しかし、本来予定していたトウリの活躍シーンはまだ先の予定でした。

このままだと、成り上がりを期待して読んでくださった読者様を裏切ることになる。

そんな理由で書き上げたのが、このマシュデール撤退戦でした。

仕事が忙しい中、スケジュールを煮詰め時間を調整し、貴重な休暇に頭を悩ませ苦しみながら書いたエピソードですので、楽しんでいただけたなら幸いです。


しかし当時に苦しんだ報酬なのしょうか。こうして書籍となり、皆様に手に取っていただけることが非常に幸せです。

最近は忙しい本業の最中、編集様とのやり取りでやる気をいただき、送られてくるクレタ様の美麗《びれい》なイラストに嘆息《たんそく》し、耳式《みみしき》様の迫力溢れるコミカライズ版の更新を心待ちにすることが、私の人生の彩《いろど》りとなっていました。

趣味として小説を書いていて良かったと心の底から思います。

この道に誘ってくださった師匠、素晴らしいＦＡ《ファンアート》を送ってくださった方々、そして本作を応援してくださっている全ての読者様へ心の底から感謝申し上げます。

今後もＷＥＢ版、書籍版、コミカライズ版の「ＴＳ衛生兵さん」をお楽しみいただけたなら幸いです。

以上、まさきたまでした。

あとがき
「S傭兵さんの
戦場日記」2巻
ご購入誠にありがとうございます!!

TS《ティーエス》衛《えい》生《せい》兵《へい》さんの戦《せん》場《じょう》日《にっ》記《き》Ⅱ

2023年12月28日　初版発行

著　者　まさきたま
イラスト　クレタ
発行者　山下直久
発　行　株式会社KADOKAWA
〒102-8177 東京都千代田区富士見2-13-3
電話 0570-002-301（ナビダイヤル）

編集企画　ファミ通文庫編集部
デザイン　横山券露央（ビーワークス）
写植・製版　株式会社オノ・エーワン
印　刷　TOPPAN株式会社
製　本　TOPPAN株式会社

●お問い合わせ
https://www.kadokawa.co.jp/（「お問い合わせ」へお進みください）
※内容によっては、お答えできない場合があります。
※サポートは日本国内のみとさせていただきます。
※Japanese text only

 ISBN978-4-04-737736-3 C0093　定価はカバーに表示してあります。

スキル
《ダンジョン生成》を
使ったら、
最強魔王六人の
主になっていた⁉
activation
{ Dungeon Generation }
未実装の
ラスボス達が
仲間に
なりました。
The unimple
mented
end-stage
enemys have
joined us!
Author ながワサビ64
Illust. かわく

修太郎と
魔王たちの邂逅は、
デスゲーム世界の
希望となるのか⁉
START: DEATH GAME
ゲーム内に
閉じ込められた
プレイヤーたちも、
それぞれの思いを
賭けて奔走する‼
The unimple
mented
end-stage enem
have joined us
contract: { BOSS MOB }
The Six Demon Kings
and the Lord of the Dunge

Comment
シスコンじゃん
Comment
こいついっつも燃えてるな
Comment
同期が初手解雇は草

ソードマン
[バスタード・ソードマン]

科学よ、これがファンタジー《理不尽》だ!!!!!

腹ペコ要塞は異世界で大戦艦が作りたい

[Author]
てんてんこ

[Illustrator] 葉賀ユイ

朝起きたら
いかぽん
[Illustrator] tef
探索者《シーカー》に
なっていたので
ダンジョンに
潜ってみる
ジョン用武具店

ダンジョンに潜る、
レベル上がる、
お金増える!!!

▷▷▷ **STORY**

現代世界に突如として〝ダンジョン〟が生まれ、同時にダンジョン適合者である〝探索者《シーカー》〟が人々の間に現れはじめてからおよそ三十年。高卒の独身フリーター、六槍大地《むそうだいち》はある朝、自分がレベルやステータス、スキルなどを持つ特異能力者──〝探索者〟になったことに気付く。近場のダンジョンで試行錯誤をしながらモンスターを倒し、得た魔石を換金しながら少しずつ力を得ていく大地。そんなある日、同年代の女性探索者である小太刀風音に出会ったことから彼のダンジョン生活に変化が訪れて──。

朝起きたら
探索者《シーカー》になっていたので
ダンジョンに潜ってみる

B6判単行本
KADOKAWA/エンターブレイン 刊

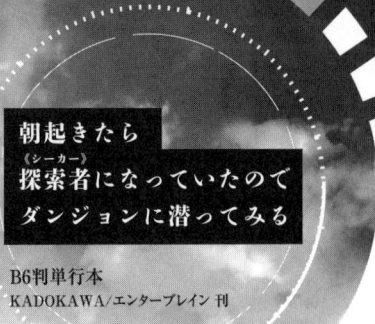

針子の乙女
HARIKO NO OTOME
針と蜘蛛と精霊で織りなす
幻想的な異世界裁縫
ファンタジー。
[はりこのおとめ]
著＝ゼロキ
Zeroki Presents
Illustrated by Miho Takeoka
Illustration
竹岡美穂
コミカライズ
針子の乙女
ヤングエースUPで
絶賛連載中
①〜②巻
絶賛発売中！
B6判単行本
KADOKAWA／エンタープレイン刊
KADOKAWA
enterbrain